인간에 대한 예의

아시아에서는 《바이링궐 에디션 한국 대표 소설》을 기획하여 한국의 우수한 문학을 주제별로 엄선해 국내외 독자들에게 소개합니다. 이 기획은 국내외 우수한 번역가들이 참여하여 원작의 품격을 최대한 살렸습니다. 문학을 통해 아시아의 정체성과 가치를 살피는 데 주력해 온 아시아는 한국인의 삶을 넓고 깊게 이해하는 데 이 기획이 기여하기를 기대합니다.

Asia Publishers presents some of the very best modern Korean literature to readers worldwide through its new Korean literature series 〈Bi-lingual Edition Modern Korean Literature〉. We are proud and happy to offer it in the most authoritative translation by renowned translators of Korean literature. We hope that this series helps to build solid bridges between citizens of the world and Koreans through a rich in-depth understanding of Korea.

바이링궐 에디션 한국 대표 소설 014

Bi-lingual Edition Modern Korean Literature 014

Human Decency

공지영

인간에 대한 예의

Gong Ji-young

ASIA
PUBLISHERS

Contents

인간에 대한 예의

Human Decency

데스크가 변덕을 부린 것이 이해가 갈 만큼 이민자는 확실히 매력적인 여자였다. 그녀가 한국에 오면 거처하곤 하는 경기도 남쪽의 어느 어름으로 찾아갔을 때 그녀는 막 아침 산책에서 돌아오고 있었다. 키가 일 미터 오십오 센티미터쯤 될까, 생머리를 질끈 하나로 묶고, 풀을 먹이지 않은 부드러운 아이보리색 광목 바지에 가지색 순모 스웨터를 풍성하게 걸친 그녀는 들꽃들이 싱싱하게 피어나는 마당에 서 있었다. 변덕이 심한 봄 날씨가 이어질 무렵이었다. 며칠은 마치 초여름처럼 성급하게 더워서 그저 별생각 없이 재킷을 잡지사에 걸쳐 놓고 블라우스 차림으로 취재에 나섰던 것인데, 차에서 내리자마자 섬뜩한 한

Yi Min-ja certainly was an attractive woman. Attractive enough to make me understand my editor's change of heart. When I arrived at the place in southern Kyŏnggi Province where she stays when she's in Korea, she had just returned from her morning walk. I found her in her yard, among wildflowers coming into bloom. She was perhaps an inch or so over five feet tall, her straight hair drawn together in a ponytail, and she wore unstarched off-white cotton pants and a loose-fitting wool sweater the color of eggplants. It was that time of spring when you never know what to expect from the weather. A heat wave had arrived a few days earlier, just like

기를 품은 바람이 사정없이 몰아쳐 와서 그 집 울타리 한 켠에 서 있던 라일락의 보랏빛조차 입술이 파랗게 질린 것 같게 느껴졌다. 집 뒤쪽 가까운 골짜기의 뽀얀 봄빛도, 생나무 울타리 한 켠에 선 수양벚나무의 환한 빛, 산목련 나무의 눈부신 백색, 겹벚나무의 소박한 분홍빛조차도 아직 차가운 봄바람 앞에서 그저 가엾이 떨고 있는 듯 보였다. 하지만 그 나무들 앞에서 우리를 맞이하는, 그 나무들보다 키가 작은, 왜소한 몸집의 이민자는 마치 그 바람 속에서 혼자 피어난 들꽃같이 꿋꿋하고 맑아 보였다. 바람과 봄날의 변덕스러운 한기와 그리고 마흔여덟의 나이조차도 어쩌면 그녀를 비켜 가게 하는 재주를 가진 것처럼, 그녀의 첫인상은 뭐랄까, 독특하고 어쩌면 신비했다. 그건 그녀가 우리—사진기자와 나—를 맞아들였던, 마치 동화에서나 나올 것 같은 아주 독특한 통나무집이 주는 인상 때문이었는지도 모른다. 넓은 나무 마루는 오래도록 들기름이라도 먹인 듯 은은하게 검정고동색으로 빛났고, 지금은 불이 꺼진 벽난로 위에는 그녀가 그린 그림이 놓여 있었다. 서너 살배기의 여자아이가 둥그렇고 푸른 지구 위에 가부좌를 틀고 앉아 있는 그림이었다. 내가 엉거주춤 서서 그림을 들여다보는 동안 이민자는 향기가 아주

in early summer, and I had left my jacket back at the office. But when I climbed out of the car the chilly wind buffeted me and it didn't let up. The purple lilacs beside the hedge looked like they were cringing. The bright blossoms of the weeping cherries nearby, the dazzling white flowers of wild magnolias, the plain pink flowers of double-blossom cherry trees, even the hazy spring scenery in the valley close behind the house—everything seemed to shiver pitifully in the cold. And yet Yi Min-ja, despite her small figure and short stature, shorter even than the shrubs behind us, looked willfully, refreshingly pure, like a lone wildflower blooming in the wind. The impression she gave me was somehow mysterious, as if she possessed a magic that protected her from the wind and the capricious spring chill and made her look younger than her age of forty-eight. Maybe that impression was due in turn to the log house into which she welcomed the photographer and me, a house that looked strikingly original and seemed fresh out of a children's book. Its broad wooden floor had the deep reddish-brown sheen that comes from years of treatment with perilla oil. Above the fireplace was one of her paintings, a preschool-aged girl sitting cross-legged

독특한 차를 내왔다. 무슨 들풀을 짓이겨 놓은 것같이 쌉쓰름한 맛이 느껴지는 차였다.

한 한 달 동안 이 차만 마시고 지낸 적이 있어요. 인도에서요…… 저의 명상 스승이셨던 마가호타 미르혼지께서 직접 만들어 주신 거죠. 마음을 깨끗하게 하는 데 도움이 됩니다.

우리에게는 거친 직조의 결이 도톨도톨 느껴지는 무명 방석을 내어놓고 그녀 자신은 맨발로 마룻바닥에 앉으며 입을 열었다. 그제야 나는 가방 속에서 취재수첩을 꺼내 들었다. 그제야 수첩을 꺼낼 만큼 나는 그 집과 그녀의 독특한 분위기에 압도당하고 있었다.

죄송합니다. 스승이라는 분의 성함이…….

하고 말하다가 나는 입을 다물었다. 그녀가 물끄러미 나를 바라보고 있었다. 책을 읽지도 않고 찾아온 건가, 하는 기자로서의 예의 없음에 대한 의아함 같은 게 그 눈빛 속에 담겨 있어서 나는 황급하게 덧붙였다.

저, 책을 읽었는데 스승 이름이 금세 떠오르지 않네요. 익숙한 이름이 아니라서…… 죄송합니다.

마, 가, 호, 타…… 미, 르, 혼, 지.

머뭇거리는 나를 향해 스승의 이름을 말하면서 그녀는

on a round green globe. While I inspected the painting, the artist appeared, barefoot, and offered us tea. The beverage had an extraordinary fragrance and its taste was slightly bitter, as if it had been prepared from wild grasses.

She had us sit on floor cushions covered with coarse, rough cotton. She herself sat down on the bare floor, saying, "Once when I was in India I drank nothing but this tea for a month. My meditation master, Magahota Meeruhonjee, made it himself. It helps clarify the mind."

I finally remembered to take out my notebook. It had remained in my bag while I tried to deal with the overpowering impression presented by the house and the singular mood projected by its owner.

"I'm sorry, his name was—"

I stopped short, noticing she was staring at me. Her eyes seemed to be asking if I had fulfilled the writer's courtesy of reading her book before interviewing her.

"I read your book," I hastened to add, "but the master's name didn't stick. It's not a name I'm familiar with... I'm sorry."

"Ma-ga-ho-ta Mee-ru-hon-jee," she repeated with a

마치 석굴암의 불상에 새겨진 것처럼 엷고 환한 미소를 띠었다. 나는 그녀가 스승의 이름을 발음하는 동안 고개를 숙이고 그것을 취재수첩에 적으면서 내 스승도 아닌데 그 괴상한 이름을 내가 외울 게 뭐야, 하고 생각하던 참이었다. 괜한 생각이었을까. 취재수첩에서 눈을 떼고 고개를 들었을 때, 그녀가 나를 향해 아직도 짓고 있던 그 미소 속에 사람을 꿰뚫어 보는 힘이 느껴져서 나는 좀 무안해졌다.

이미지도 없이 이름만 강요하는 것 같네요, 내가…… 어떻게 말이라는 것으로 그를 설명할 수 있을까요.

그녀는 나의 무안함을 다시 꿰뚫어보듯이 말했다. 말소리는 따뜻했고 표정은 부드러웠다. 그때 그녀의 표정은, 만일 표정이라는 것을 이렇게 분류해도 좋다면 뭐랄까, 식물 성분의 냄새가 나는 것이었다. 파초 잎에 파르르 바람이 불어 가는 것 같고 그 위로 비가 내리는 것 같은 표정. 넓은 뜰 가운데 혼자 서 있어도 그것으로 모든 것이 이미 충족된 모습이라고나 할까. 나는 내가 그녀의 이국생활에 대해 괜스레 거부감을 가지고 온 것을 후회했다. 작고 가느다란 눈매, 납작하지도 높지도 않은 코, 얇은 입술. 그녀도 나같이 그저 한국인이었다. 나는 쌉쓰름한 냄

subtly inviting smile that reminded me of the stone Buddha in Sŏkkul Grotto.

As she pronounced the name I bent over my notebook to jot it down, thinking, *He's not my master—why should I bother memorizing such an odd name?* But what was the point of dwelling on that? When I looked up, she still wore that penetrating, unsettling smile.

"I guess I'm forcing a name on you without any context. I wonder if I can describe him in words," she said, unnerving me even more. And yet her voice was warm, her expression gentle. That expression had a trace of something I can only describe as plant life, something that would set plantain leaves trembling and bring rain down upon them. She had a look of complete fulfillment even when she was alone in her spacious yard. I now regretted disapproving of her for having lived abroad. There was nothing foreign about her small, narrow eyes, regular nose, and thin lips; she was Korean, the same as I. Now that she had returned to her homeland, why should it matter whether her master was Indian, American, or some other nationality? I quickly drank the piquant tea.

I looked up, prepared to ask my next question,

새가 풍기는 차를 얼른 마셨다. 스승이 인도 사람이든 미국 사람이든 그녀는 이제 고국에 돌아와 있는 것이다.

나는 다음 질문을 하기 위해 고개를 들다 말고 그녀와 눈이 마주치자 조금 웃어 보였다. 그러자 그녀는 내 빈 잔에 살포시 차를 따르는 것이었다. 두 손을 내밀어 공손하게 그녀가 내 잔에 차를 따르는 것을 바라보면서 나는 문득, 앙상하게 마른 그녀의 품에 안기면, 저어 산다는 게 뭐지요, 라고 물을 수도 있을 것 같은, 그러면 그녀는 그저 나의 머리를 쓰다듬어 주고, 그러면 나는, 그래요 살고 싶어요, 라고 이야기 할 수도 있을 것 같은 느낌을 가졌다.

그랬다. 그녀에게는 분명 어떤 힘이 있었다. 뭐랄까, 자신의 존재만으로도 이미 충만한 사람이 가지는 어떤 힘…… 데스크가 그녀의 개인전에서 그녀와 만나고 돌아온 후, 사무실은 마치 인도의 명상터처럼 변했다. 술자리에서는 그저 이제는 늙어 버린 낭만적인 문학소년 같고, 사무실에서는 웬만큼 강심장이 아닌 기자들의 눈물을 쏙 빼 놓을 만큼 카리스마적인 노련함을 가지고 있는 그는, 마치 무엇에 취한 듯 열띠게 그녀의 그림과 그녀의 명상에 대해 이야기를 시작했고, 취재와 마감과 월급봉투와 글쓰기에 지쳐 있던 기자들은 담배를 피우거나 필자에게

and as my eyes met hers I ventured a smile. She carefully refilled my cup and politely offered it to me with both hands. As I watched her I suddenly imagined myself nestled in her spare bosom asking about the meaning of life. I imagined her stroking my hair, and myself saying, "Yes. I want to be alive."

It was clear she had a certain power. The power of, well, one who is fulfilled just by the fact of her existence. After my editor met her at her one-woman show our office had become a veritable Indian meditation site. Now this was a man whose charismatic aura of experience could draw tears from anyone in the office except a hardened writer (though at drinking parties he gave the impression of an aging romantic with literary aspirations), and here he was talking rapturously about her paintings and about meditation. And we writers, worn out from research, deadlines, meager pay, and writing—as we smoked cigarettes, phoned contributors to dun them for their articles, or else crumpled up our own articles, we began surreptitiously to listen to what he was saying about Yi Min-ja's lifestyle.

"At age twenty-one she takes Grand Prize in the Republic of Korea National Exhibition; after gradua-

전화로 원고 독촉하거나, 기사를 쓰고 있던 원고지를 구겨 버리다가도 데스크가 전해 주는 이민자의 삶의 방식에 은밀하게 귀들을 기울이기 시작했다.

스물하나의 나이로 대한민국 국전 대상, 대학 졸업 후 도미, 뉴욕에서 큰 성공, 이어 도불하여 전시회 연달아 성공, 소더비 경매장에서 그림을 거래시킬 수 있는 유일했던 한국 화가…… 어느 날 성공과 성취의 허망함을 깨닫고 인도로 여행 떠남, 스승 마가호타 미르혼지 밑에서 사사, 삼 년간 인도 전역 맨발로 방랑, 아프리카 스케치 여행, 어느 날 킬리만자로의 눈 덮인 봉우리가 바라다 보이는 한 사파리에서 야영 중 불현듯 깨달은 바 있어 다시 돌아와 고국에 정착.

꿈같은 이야기군.

빈정거리기 잘하는 기자가 그녀의 내력을 듣자마자 불쑥 내뱉었지만, 그 빈정거림의 의도에 대해 나 자신도 인정하지 않는 바는 아니었지만, 정말일까 하는 생각 또한 없지 않았다. 말하자면 어떤 용감무쌍한 자유인에 대한 동경 같은 것, 마감을 끝내고 동료 기자들과 얼큰한 술자리에서 파해 집으로 돌아올 때, 문득 길거리에 서서 바라보면 모든 거리는 어둡기만 하고 그럴 때, 내가 지금 대체 무

tion she moves to the U.S.; she's a huge success in New York; she moves to France and holds one successful show after another; she's the only Korean artist represented by Sotheby's... And then one day she realizes her successes and achievements have left her hollow. She goes to India, studies under the master Magahota Meeruhonjee, wanders for three years barefoot allover India, travels to Africa and sketches, and one day on safari while she's gazing at the snowy summit of Kilimanjaro she has another awakening and comes back to Korea to settle down."

"The stuff of dreams," blurted a writer who had a smart mouth. Not that I didn't acknowledge his sarcastic intent. But I found myself wondering if perhaps the account really was true. For when I was on my way home after a tipsy post-deadline gathering with the other writers, when I was brought to an abrupt stop by the realization that there was nothing but darkness down every street, when I wondered what the hell kind of life I was living, I felt a yearning to be free and fearless; I felt certain things come to life inside me, and among them was a curiosity about freedom, wandering, transcendence, the achievement of a dream.

엇을 하며 사는 거지 하는 생각이 들 때, 어떤 자유, 어떤 방랑, 어떤 초월, 어떤 꿈의 실현, 그런 것들에 대한 호기심이랄까 그런 것들이 내 안에서 꿈틀거렸다는 말이었다.

그달에 화제가 되는 책을 선정해서 그 작가를 인터뷰하고 책의 내용을 소개하는 여섯 페이지짜리 기사를 맡고 있는 나에게 데스크가, 이번에는 권오규 선생을 한 달 뒤로 미루고 우선 이민자를 취재하라고 변덕을 부렸을 때, 나는 사실은 조금 망설이긴 했다. 권오규라는 사람을 이미 취재해 놓은 이유도 있었지만 그녀의 이국 생활이 왠지 내게 거부감을 준 것도 사실이었다. 하지만 그런 생각들에도 불구하고, 밑져야 본전이라는 생각으로 내가 순순히 그 제안을 받아들인 것도 어쩌면 그녀가 데스크에게 전해 주어 이제 나에까지 옮게 묻어 버린 그 희망 때문이었는지도 모른다. 그 희망이 오랜 독신 생활과, 길지 않은 여성지 기자 생활과, 나에게는 그토록 오래처럼 느껴지던 쓸쓸함의 시간들을 다르게 채색해 줄지도 모르겠다는 그런 느낌이 들었던 것이다. 그래서 나는 사진기자에게 건네받은 권오규 선생의 네거필름과 이미 그를 취재해 놓은 수첩과 그가 쓴 『인간에 대한 예의』라는 책을 한꺼번에 누런 봉투 속에 집어넣고 매직펜으로 6월호용이라는 글씨를 써

One of my responsibilities at work was selecting a book for that month's topic, interviewing the author, and writing a six-page feature. When the editor did an about-face and asked me to postpone my story on Kwŏn O-gyu to the following month and do a feature on Yi Min-ja instead, I must confess I hesitated. I had already started the feature on Kwŏn, and there was the matter of my negative reaction to Yi because she had lived abroad. But I didn't put up a fight—which would have gained me nothing anyway—perhaps because the hope Yi had given my editor was now spreading to me. A hope that my long years of living alone, and the years more recent that I had worked for this women's magazine, all those lonely hours that felt so long, would be infused with a different color. So I put away the negatives of Kwŏn that I'd received from the photographer, along with kwŏn's book *Human Decency* and the notes I'd made on him, and after I marked the manila envelope "June" I left to interview Yi.

And now as I climbed into our car and gazed at her log house set against the outline of the distant, wind-swept hills with their pastel blossoms, at the very moment I caught myself wishing I could live in

놓은 후, 이민자를 취재하기 위해 이곳으로 왔던 것이다.

그런데 이제 그 독특한 그녀의 통나무집을 나서서 그 집 앞에 세워 둔 취재 차에 올라타고 멀리 바람 부는 산에 피어난 가지가지 파스텔 빛 산매를 배경으로 서 있는 그 통나무집을 바라보았을 때, 그리하여 나도 이런 집에서 한번 살아 보고 싶다는 생각하던 바로 그때, 문득 내 가슴 속 깊은 곳에서 오래도록 잠자던 슬픔 하나가, 마치 잡동사니로 범벅이 된 땅을 뚫고 머리를 내민 열무 싹처럼 고개를 디미는 것이었다. 왜냐하면…… 왜 열무 싹 같은 슬픔이냐 하면…… 그렇다. 그 부분에 대해서는 대답을 할 수가 있을 것 같다. 열무 싹을 떠올린 것은 최근 옮긴 집 뒤뜰에 작은 텃밭이 있었기 때문이다. 심심한 어느 휴일날에 나는 꽃삽을 가지고 땅을 한번 일구어 보았는데, 그것은 땅이라기보다 거의 쓰레기장에 가까웠다. 잔돌 큰 돌이 무수하게 섞여 있는 것은 말할 것도 없고 비닐이나 과자 봉지, 나중에는 굳은 시멘트 덩어리까지 나왔던 것이다. 잔돌이나 비닐봉지라면 몰라도 시멘트 덩어리라면 꽃삽으로는 도저히 어쩔 수 없어서 그만 포기할까 하긴 했었다. 하지만 꽃삽을 들고 돌아서는데 잡동사니 땅과의 싸움에서 맥없이 밀려난다는 생각이 별로 유쾌하지 않았

such a house, a sorrow long dormant deep inside me shot forth like a young radish poking out through dirt and trash. Why a sorrow like a radish shoot? That much I think I can answer. There's a kitchen garden behind the house I recently moved into. One Sunday when I didn't have anything else to do, I dug up the soil to see if I could plant something. More accurately, rather than breaking ground I dug into a dump site. There was plastic, there were cookie wrappers, and eventually lumps of cement, not to mention stones and rocks. The stones and plastic bags were no problem, but my spade proved useless with the cement, and I was tempted to give up. But the idea of losing a fight with a junkyard and taking my tool back inside didn't sit right with me. All right, I told myself, as long as I've started, I might as well see it through to the end. So I bought a shovel, one that came up to my waist. My first job was to dig up the cement, and then I fertilized the patch, but it was still so sandy and rocky that I wondered if seeds could possibly grow there. Just for fun I planted some radish seeds. But wouldn't you know it, the weather turned chilly as soon as Arbor Day passed. For several days I went out back and waited to see if a

고, 좋다, 그럼 이왕 시작한 일이니 내친김에 끝까지 가 보자는 생각을 하고 나서 나는 내 허리까지 오는 커다란 삽을 사 왔다. 일단 그 삽으로 시멘트를 들어내고 퇴비를 주긴 했지만 아직도 잔돌이 많고 모래가 많이 섞인 땅이라 씨앗을 뿌려도 자랄까 싶었다. 그래서 그저 손해 보는 기분으로, 정말 재미삼아 시장 화원에서 열무 씨앗이라는 걸 사다가 뿌려 두었더랬는데, 식목일이 지나자 날씨까지 차가워졌다. 며칠 동안 나는 뒤뜰에 가서 혹시라도 이제나저제나 싹이 나오려나 기다렸지만 퇴비를 머금어서 약간 거무스레해진 흙만 보일 뿐 싹이 돋을 기미는 그야말로 싹도 보이지 않았다. 섭섭한 마음은 있었지만 너무 이른 봄날에 씨앗을 뿌린 내 탓이겠지 생각하고 지내던 차였는데, 바로 며칠 전 그저 죽어 버린 줄만 알았던 씨앗들이, 아직도 돌과 비닐이 남아 있는 그 잡동사니 땅을 뚫고 녹두알만 한 새싹을 내밀었던 것이다.

나는 요즘 잡지사로 출근하기 위해 집을 나설 때마다 싹들을 둘러보고 나올 만큼 열무 싹들에게 열중해 있었다. 그러니 가슴속에 생각지도 않게 불쑥 솟아오른 어떤 것에게, 열무 싹처럼이란 비유를 스스럼없이 붙일 수 있었던 것이다.

sprout might appear. I gazed at the soil, darkened by the fertilizer, but there was no sign of a radish shoot. I was prepared to blame myself for planting too early in the spring, when just a few days ago those seeds I had given up for dead shot through the rocks and plastic remaining in the junky soil, to reveal sprouts the size of mung beans.

Now, before I leave for work I simply have to go around back to see how much the sprouts have grown. And this is why I'm quick to use the metaphor of a radish shoot to describe that unexpected outpouring deep inside me.

But if anyone were to ask why sorrow shot forth inside me, I would probably equivocate. I would shake my head, saying that maybe it was something other than sorrow.

My interview with Yi Min-ja had lasted an hour, but as I waved goodbye from the car, watching her plantain-like face that still seemed so friendly, all I could think of was the rented room beside the gate of a shabby Korean-style house at the end of a winding alley in Samyang-dong where Kwŏn O-gyu had lived since his release from prison two years earlier. This was the man whose magazine feature had been postponed to the following month for the

하지만 슬픔이 고개를 든 것 같은 느낌은 왜였느냐고 누군가가 묻는다면, 그것은 왜냐하면…… 하고 말꼬리를 흐리다가, 어쩌면 슬픔은 아닐지도 모른다고 나는 고개를 저어 버렸을 것이다.

그저 하필 차에 올라타고, 한 시간의 취재 끝이었지만 벌써 친근하게 느껴지는 그녀의 파초 같은 얼굴을 바라보면서 손을 흔들었을 때, 그때 내 머릿속으로 지난번에 내가 취재를 한, 하지만 지금은 책이 잘 팔리는 이민자를 위해 다음 달로 그 기사가 미루어질지도 모르는, 권오규 선생이 출소 후 거처한다는 그 삼양동 구불구불한 골목길 끝, 어느 허름한 한옥의 문간방이 떠올랐을 뿐이다. 한 서너 평 되는 마당엔 얇은 시멘트가 발라져 있고 그 한 켠엔 촌스러운 철쭉과 꽃피지 않은 군자란이 파란 플라스틱 화분에서 자라고 있는, 마당에 가느다란 수도꼭지가 있고 재생고무로 만든 벽돌색 대야가 아무렇게나 널려 있는, 검정색깔의 수채화 물감에 물을 많이 타면 나타나는 듯한 검은 그늘이 엷게 드리워진, 그 한옥 문간방이 말이다. 하지만 그렇다 해도, 그러니까 그게 왜 슬픔이냐구 따지기 좋아하는 사람이 꼬치꼬치 물어본다면 나는 그만 할 말이 없는 것이었다.

sake of Yi and her bestselling book. All I could think of was his room beside a tiny yard that was thinly layered with cement, where on one side rustic-looking rhododendrons and flowerless Kaffir lilies grew in blue plastic flowerpots, where there was a slender pipe and faucet and a brick-red washbasin of reconstituted rubber thrown beside it, a room that cast a slender curtain of shade like dark watercolors much thinned with water. But if anyone had asked why I associated such scenes with sorrow, I couldn't have offered a word in reply.

"Freedom Is My Clothing, Meditation My Food: The Universe Cannot Confine Me." This was the title that occurred to me on our way back to the office. It had a nice ring to it. And it was a good sign that it had come to me so readily. In contrast, I had been at a loss for a title as I emerged from that winding alley after interviewing Kwŏn O-gyu. How could I come up with a title when I couldn't even think of how to begin my article about his book containing the letters he'd written while serving the lifetime sentence handed down to him when he was twenty-eight? The title, not to mention the introduction and main body of the feature, was a blank. And so I

자유는 나의 의상, 명상은 나의 끼니…… 이 우주도 나를 가둘 수는 없다.

돌아오는 길에 제목은 벌써 떠올라 주었다. 괜찮은 제목 같았다. 취재를 마치고 돌아오는 길에 제목이 이렇게 쉽게 떠오른다는 것은 좋은 징조였다. 사실 권오규라는 사람을 취재하고 삼양동 구불구불한 골목길을 내려올 때 나는 막막했다. 그저 막막했다고밖에는 할 수 없는 것이, 스물여덟의 나이로 무기수가 되었던 그가 이제 출옥한 지 이 년 만에 그동안 감옥에서 쓴 편지들을 묶어 책을 펴냈다고 해서 그것을 대체 무슨 말로, 어떻게 기사를 쓰기 시작해야 하는지 대책이 서지 않았기 때문이다. 제목은 물론 앞글도 본문도 도무지 캄캄이었다. 이민자를 취재하러 선뜻 나선 것은 잘한 일 같았다. 그렇지 않다면 이번 달에는 또 '쫑순이' 기자가 될 판이었다.

선배, 어쩔 거야. 이번 달에 이민자 씨 건으로 할 거야?

사진기자가 내게 물었을 때, 그런 생각들을 하고 있던 나는 그래서 순순히 고개를 끄덕였다.

하기는 데스크가 이번 달에는 다른 여성지하고 인터뷰하지 말라고 이민자를 단단히 구워삶아 놓은 모양이던

felt like congratulating myself for my willingness to interview Yi Min-ja. If not for her, then again this month I would have been tagged Tchongsuni—the last one in with her articles.

"What do you think?" the photographer asked me. "Are we going to run your piece on Yi Min-ja this month?"

I nodded.

"Sounds like the editor sweet-talked her into not giving an interview to any other women's magazine this month. A story like hers is an exclusive these days. Who cares about a long-term prisoner now that we've got a civilian government? Right?"

"What's your point?" I asked. Misgivings were cropping up in my mind like radish shoots. (I felt that as long as I was calling for an explanation, I might as well think in terms of radish shoots again. But then misgivings aren't something we normally associate with the fresh green color of a radish shoot. Sorrow, perhaps, but not misgivings. So let's just stick to the facts.) For some reason his words had sounded sarcastic and so I had questioned him. And now I observed him. He had buried himself in the seatback and stretched out his legs.

"Oh, it's just that I'm thinking maybe I should get

데…… 요즘이야 그런 게 특종이지 뭐. 문민정부가 출범한 마당에 웬 장기수? 안 그래, 선배?

왜 그렇게 말을 길게 하지?

내가 물었다. 무언가, 그렇다. 이왕 변명을 해 놓은 터이니 이번에도 열무 싹 같은 것이라고 하자. 불쑥 열무 싹 같은 의구심이, 아니다…… 의구심이란 것은 열무 싹같이 파릇파릇한 것은 아니다. 슬픔이라면 몰라도. 그러니 그저 단순하게 표기해 보기로 하자. 그러니까 나는 그의 말이 왠지 비아냥처럼 들려서 그렇게 묻고 그를 바라보았다. 그는 두 다리를 쭉 뻗고 의자 뒤로 몸을 젖히며 잠시 침묵하다가 말했다.

그냥 나도 이 판을 떠나야 할까 싶어서…… 그냥 내가 그렇다는 이야기야.

어디로 가려고……?

글쎄…… 어디로 갈까. 인도? 아프리카? 뉴욕? 그도 아니면 파리? 명상이나 하면서 생각해 보지 뭐. 나에게도 '그 무언가가' 떠올라 주겠지. 젠장할…….

다 좋은데 젠장할이란 말은 왜 붙이니?

그 말이 이런 경우에 꼭 맞으니까, 젠장할…….

꼭 그렇게 세상을 비뚜로 볼 거 뭐 있어? 이제 구원으로

out of here for a while myself," he said after a brief silence.

"Where to?"

"Well, I don't really know. India, maybe? Africa? New York? Paris? ... I could do some meditation. Maybe I'll see the light, too. Damn..."

"Nothing wrong with that. But why 'Damn'?"

"Seemed like the perfect thing to say. Damn..."

"Why look at the world from such a crooked angle? There's more than one road to salvation, you know. Not like in the past."

He seemed ready to add something, but then deposited his heavy camera bag in the back seat and closed his eyes. I said no more and turned my attention to the expressway. I could see myself growing flustered and evasive if he had questioned my abrupt mention of a "road to salvation," and so I was thankful for his silence. In that sense we tended to be a perfect match for each other.

But unlike the photographer, I didn't want to record our encounter with Yi Min-ja in terms of *meditation* or any other single word. For when I had seen her in the yard, her smile as refreshing as a wildflower, I had felt a kind of courage well up inside me. A courage that would help me accept the

가는 길은 우리에게 꼭 하나가 아니어도 좋잖아?

무언가 더 말을 이을 듯 잠시 망설이다가 사진기자는 무거운 가방을 뒷좌석으로 던져 놓고 눈을 감아 버렸고, 나도 더 말하지 않고 고속도로를 달렸다. 사실은 사진기자가 눈을 감지 않았더라면 구원이라든가 길이라든가에 대해 불쑥 말해 버린 자신에 대해 몹시 난처해져서 내 쪽이 오히려 그를 외면했을지도 모른다. 그런 의미에서 그와 나는 죽이 잘 맞는 편이었다.

하지만 나는 사진기자처럼 그저 그녀와의 만남을 그런 한마디로 치부해 버리고 싶지만은 않았다. 그녀가 그 마당에 서서 들꽃같이 맑게 서서 웃었을 때 나에게는 어떤 용기 같은 게 솟은 까닭이었다. 혼자라도, 앞으로 더 많이 혼자 있는다 해도 괜찮을 것 같은 기분. 그러니 이제 밤에 집에 혼자 들어선다 해도 냉장고에서 싸구려 포도주병을 꺼내 홀짝거리며 마시거나, 아니면 밤도 늦은 시간, 너무 밤이 깊어서 라디오도 끝나고 창문 밖의 트럭 소리도 사라졌을 때, 전화기 앞에서 이 밤에 누가 깨어 있지는 않을까, 깨어 있어서 나하고 이야기를 두런두런 나눌 수는 없는 것일까 궁리하다가, 그저 700으로 시작되는 오늘의 운수에 전화를 걸어 놓고 우두커니 그것을 듣고 있는 대신,

prospect of being alone now and for a good part of the future. Because now when I returned home alone at night, instead of sipping the cheap wine I kept in the refrigerator, instead of lingering at the telephone deep into the night, until the radio stations went off the air and I could no longer hear trucks outside my window, wondering if someone would awaken me for a muted conversation, instead of dialing 700 and listening inattentively to my horoscope, I could try to meditate as she had instructed me. Sit cross-legged, preferably in the nude, she had said, and let all the things that are stressing you dissolve. Then start the breathing technique. Remember to use the abdominal muscles. Take in through the nose, down the airways, and collect in the stomach all the energy of the universe, then with your abdomen expel through the airways and mouth the bad energy collected in the stomach. The important thing, she had said, is to feel yourself breathe, simply feel it. When I was alone, I thought now, maybe I really could do that breathing in the nude, that breathing I had tried with a clumsy smile a short while ago as she looked on.

Back at the office, the photographer and I found ourselves alone; everyone had gone out for lunch. I

아까 이민자가 가르쳐 준 명상을 해볼 수도 있는 것이다. 몸을 조이는 모든 것을 다 풀어 버리고—될 수 있으면 알몸이면 더 좋다고 그녀는 말했다—반가부좌나 가부좌의 자세로 앉는다. 그런 다음 단전에 힘을 주고 호흡을 시작한다. 모든 우주의 기가 코를 통해 기도를 거쳐 뱃속으로 내려갔다가 단전에 고이는 들숨, 이번에는 단전으로 모여든 나쁜 기가 뱃속을 지나 기도를 거쳐 입으로 뱉어지는 날숨. 중요한 것은 숨을 느끼는 것이라고, 그저 숨을 느끼는 것이라고 그녀는 말했다. 아까 이민자 앞에서 서투르게 웃으면 흉내 내었던 그 호흡을 혼자서라면 정말 발가벗고 할 수 있을지도 모른다…… 그런 생각들, 그런 게 들었던 것이다.

잡지사에 도착하니 모두들 식사를 하러 나가고 자리는 텅 비어 있었다. 나는 사진기자에게 점심을 내겠다고 말했고 사진기자는 거기에 동의했다. 가방을 의자에 놓고 지갑을 찾아 들려고 했을 때 권오규 선생에 대한 취재가 담긴 누런 봉투가 바닥으로 떨어져 내렸다. 집어 두고 나갈까 하는 생각도 들었지만 조금 귀찮다는 생각이 들었고 나는 그저 가방 속에서 지갑만 찾아 달랑 겨드랑이에 끼고는 사진기자와 함께 엘리베이터에 올라탔다. 사진기자

offered to treat him to a meal and he accepted. As I set down my bag on a chair to look for my wallet, the manila envelope with my story on Kwŏn O-gyu fell to the floor. I thought of picking it up but decided not to bother. Locating my wallet, I stuck it under my arm and we caught the elevator. After pushing the button for the first floor he spoke up:

"In the car you asked me what I was getting at. Actually I was thinking of those black-and-white photos in the picture frame at the house in Samyang-dong. Didn't he say one of them was executed and the other one died in prison? I should have shot those photos. If the article was going out this month, I was hoping to go there, maybe today, and photograph them."

He spoke nonchalantly, but from that point on he looked preoccupied. I wondered if he had noticed that I hadn't picked up the Kwŏn envelope. If not, then why would he have mentioned those photos all of a sudden? No, that wasn't it. I asked myself why everyone sounded cynical to me these days. I stuffed my hands in my jacket pockets and watched the floor numbers change in the elevator.

About those photos. It had been so balmy that day. The photographer had posed me in front of

가 일 층이라는 버튼을 누르고 나서 내게 말했다.

사실은 말야. 아까 왜 물어봤느냐면, 그때 우리 삼양동으로 찾아갔을 때 그 집 사진틀 속에 있던, 그 흑백사진 말야…… 한 사람은 처형당하고 한 사람은 옥사했다던가…… 그 사람들 사진을 찍을걸 하는 생각을 했었거든. 이번 달에 기사가 나갈 거면 내가 오늘이라도 가서 그 사진을 좀 찍고 싶어서…….

사진기자는 크게 신경 쓰지 말라는 듯 시큰둥하게 말했지만 내내 생각에 잠겨 있는 표정이었다. 나는 혹시 그가 내가 권오규의 자료들을 떨어뜨리고는 그것을 집지도 않고 나온 것을 보았나, 하는 생각을 했다. 아니면 갑자기 이런 말을 할 까닭이 없지 않을까 싶었다. 아니다. 나는 왜 자꾸 요즘 들어 사람들의 말을, 이것이 혹시 비아냥은 아닐까 생각하는지 알 수 없었다. 나는 재킷 주머니에 두 손을 밀어 넣고 엘리베이터의 숫자가 변하는 것만 바라보았다.

하기는 그의 말대로 사진이 있었다. 몹시 화창한 봄날이었다. 삼양동 주택가로 들어섰을 때 어느 집 담장 너머로 서 있던 벚꽃이 꽃잎을 팔랑팔랑 떨어뜨리는 바람에 사진기자가 내게 포즈를 취하라고 농담을 건네기도 했던,

some fluttering cherry blossoms hanging over a wall on a residential street in Samyang-dong. The street narrowed to an alley farther up, and cherries and similar trees could no longer be seen. The alley became a desolate heap of concrete in which only such things as a wilting crab-leg cactus in front of a realtor's office caught our eye. We climbed that winding alley, and as we entered the home of Kwŏn O-gyu we were perspiring so freely that I forgot all about spring. The photographer was constantly mopping his face with a handkerchief. The doorbell was answered by Kwŏn's younger brother, who had looked after him in jail for almost twenty years. He ushered us in to the veranda. Memory is a strange thing. At the time, I hadn't paid attention to the rhododendrons and Kaffir lilies in the blue plastic pots in the cement yard. I noticed only how refreshing that thin layer of dark shade felt. But why, when I was waving goodbye to the artist Yi from our car, had I thought not of the perspiring photographer, or of Kwŏn's brother with his receding hairline, or of his sister-in-law bringing coffee and apples from the kitchen, but instead only the worn out washbasin of reconstituted rubber and the slender faucet in the yard? Anyway, there we sat on the veranda's wood-

그런 아주 화창한 날이었다. 하지만 올라갈수록 골목은 좁아졌고 벚나무 같은 것은 더 보이지 않았다. 그저 복덕방 문 앞에 내놓은 축 늘어진 게발선인장 따위가 눈에 띄었을 뿐, 삭막한 시멘트 덩어리의 골목이 이어졌다. 그래서였는지 우리가 삼양동 구불구불한 골목길을 걸어 올라가 권오규라는 사람이 거처한다는 집에 들어갔을 때는 봄날이고 뭐고 그저 땀만 흘렀다. 사진기자는 연방 손수건으로 땀을 닦아 내었다. 벨을 누르자 거의 이십 년 동안 권오규란 사람의 옥바라지를 한, 그의 동생이 대신 나와 우리를 대청으로 안내했다. 기억이란 건 이상한 것이다. 그때는 사실 시멘트로 바른 그 집 마당에 놓여 있던, 파란 비닐 화분에 담긴 철쭉이랑, 꽃이 없는 군자란을 나는 눈여겨보지 않았다. 엷은 검은색의 그늘 따위도 그저 시원하다고 느꼈을 뿐이다. 하지만 이민자 화백의 집을 나서서 차에 올라타고 그녀에게 손을 흔들었을 때 나는 왜 거기서, 땀을 흘리는 사진기자라든가 머리가 좀 벗어진 권오규의 동생이라든가, 부엌에서 우리에게 커피와 사과를 날라 오던 그의 계수는 빼고, 재생고무로 만든 낡은 대야와 가느다란 수도꼭지만을 떠올렸던 것일까. 어쨌든 우리들은 대청에 앉았다. 권오규란 사람의 동생은 자신의 형

en floor, the brother explaining with a rueful expression that Kwŏn had gone to the clinic because of a cold and would soon be back. He then handed us a business card that read "Kwŏn O-wŏn, Director, Korean Ceramic Trade Association."

"Korean Ceramic Trade Association?" I asked casually.

"Actually, it's a small pottery shop at South Gate Market... My given name is 'Five *wŏn*'; with a name like that you don't get to be president of a big business." He chuckled nervously, perhaps wondering if we really thought he was a company president.

We produced our own cards.

"Please don't bother," he said, his face flushed. He kept smoothing back his hair, but this gesture couldn't conceal the discomfort in his tone. Perhaps he was embarrassed by the large scale suggested by "Ceramic Trade Association," or by the fact that it was only a small shop, or that his given name was not "Five Hundred Million *wŏn*" but only "Five *wŏn*," but in any event he seemed uncomfortable watching us inspect his card. It was too bad he felt that way, I found myself thinking as we quickly put our own cards away. He shouldn't have to worry about what other people think of him. I glanced

인 권오규 씨가 잠깐 병원에 갔다며 몹시 미안한 얼굴을 지었다. 그리고 우리에게 명함을 한 장 내밀었다. 거기에는 '한국도기통상 대표이사 권오원'이라는 이름이 적혀 있었다.

도기통상이 뭐 하는 뎁니까?

그저 지나치는 듯이 내가 묻자, 권오원이라는 사람은,

남대문에 있는 조그만 그릇 가게예요. 제 이름이 오원인데 거창한 기업체의 사장이겠습니까 뭐…….

하고, 우리가 자신을 거창한 기업체의 사장이라고 생각할까 봐 조바심이라도 난다는 듯한 얼굴로 허허 웃으며 말했다.

명함은 집어넣으시지요 뭐…….

그는 여전히 얼굴이 벌게서 말했다. 도기통상이라는 거창한 이름을 쓴 것이 부끄러운 건지, 사실은 그것이 조그만 그릇 가게여서 부끄러운 건지, 그도 아니면 자신의 이름이 오억이 아니고 오원이라고 부끄러워하는 건지, 아무튼 그는 우리가 그 명함을 들여다보고 있는 게 거북하다는 듯 머리를 연신 만져 가며 쑥스럽게 말했다. 쑥스러워하지 않아도 되는 일에 하도 쑥스러워하는 그가 민망해서 우리도 얼른 명함을 주머니에 집어넣었다. 그렇게 다른

away, and that's when I discovered the photos. Hanging from the wall was the kind of picture frame you always see in the veranda of old traditional houses, and my eye was drawn to two small, faded photos. They were half the size of a business card, and were squeezed in alongside a large photo of two figures seated side by side who appeared to be the parents of the Kwŏns.

"That gentleman is Yi Mun-su," said Kwŏn's brother, following my gaze. "He was sentenced along with my brother, only he was executed. And that's Hwang Mun-ch'ŏl—he was tortured to death. My brother kept those photos, then asked me to put them up here in the house. Their families are scattered all over, so we decided to hold their memorial services here."

I considered the photos. Yi Mun-su wore a black suit. His square face had piercing eyes. Hwang appeared to be a few years older. He wore a dark traditional topcoat. His face was gentle, his eyes narrow. One of them executed, the other dying after an intestine burst under torture. If this hadn't been explained to me, I might have taken them for the brothers' uncles. As I listened to Kwŏn O-wŏn's explanation I jotted down the two names on my

사람을 의식하지 않아도 될 텐데 하는 생각도 들긴 했다. 그러면서 그때 명함을 넣고 무심히 시선을 돌리다가 그 사진을 발견했던 것이다. 낡은 한옥의 대청에는 늘 그렇듯이 낡은 사진틀이 걸리고 그 안에 작고 빛바랜 사진들이 들어 있었다. 나란히 앉아 찍은 사람은 아마도 그들의 어머니와 아버지 같았고, 그 부모님의 커다란 사진 앞에 작은 사진이 두 장, 반명함판의 크기로 끼워져 있었다. 내 시선이 그곳에 머물자, 권오규의 동생이 말했다.

……저분은 그때 형님이랑 같이 재판을 받고 사형당하신 이문수 선생이시고 저분은 고문 때문에 옥사하신 황문철 선생님이십니다. 형님이 감옥에서 간직하고 계셨다가 제게 저 사진을 부탁하셨더랬지요. 가족들이 뿔뿔이 흩어지고, 그래서 저희 집에서 제사를 모시고 있지요.

나는 그가 말하는 사진들을 올려다보았다. 사형을 당했다는 이문수라는 사람은 검정 양복을 입고 있었다. 사각이 반듯한 얼굴에 부리부리한 눈, 황문철이라는 사람은 그보다 좀 더 나이가 들어 보였다. 그는 검은 두루마기 차림이었는데 얼굴이 갸름하고 눈매가 얍삽했다. 처형을 당하고, 그리고 내장이 터져 나가도록 당한 고문의 후유증으로 옥사를 했다는 그들…… 만일 그런 설명이 없었다면

notepad.

I guess this is irrelevant, I told myself, but I'm not used to looking at photos of people who are dead now. Maybe because my family doesn't use framed photographs in the memorial ceremonies we hold. But now I have friends who remain only in photos. Once in a while I'll open my photo album and find myself counting those friends, who by joining me in photos helped record a period of my life, but who no longer exist in this world: the friend I used to teach Sunday school with who rescued a drowning classmate during orientation our first year in college but who himself ended up drowning; the classmate who died a questionable death in the army; the *sŏnbae* who died of a heart attack late one night in the darkness of a movie theater; the friend who hanged herself in her rented room; the *hubae* who was killed by a tear gas canister. There was a friend who was taken away and tortured, who needed treatment in a mental hospital when released, and who finally jumped from the tenth floor of an apartment building; and a *sŏnbae* who was out drinking till dawn with his *hubae*, and on the way home was hit by a taxi. All these ways in which they died. And then ... there was a student. He had wavy hair, and

나는 그저 그것이 그들의 숙부들쯤 될 거라고 생각했을지도 모른다. 하지만 권오원의 설명을 들으면서 나는 그들의 이름을 취재수첩에 적었다.

딴 이야기 같지만…… 사실 나는 죽은 이들의 사진에 익숙하지 못하다. 우리 집은 제사를 모실 때도 사진 같은 것은 쓰지 않아서 그랬는지도 모른다. 그런데 그렇게 죽어서 사진으로 남은 친구들이 내게는 있었다. 가끔 앨범을 펼쳐 놓고, 나는 나와 함께 사진을 찍어 그 앨범 속에 한 시절을 기록했으나, 지금은 이 지상에 없는 친구들의 수를 가만히 세어 보기도 했다. 성당의 주일교사 일을 같이 하다가 대학 일 학년 엠티에서 물에 빠진 여학생을 구하고 스스로는 빠져나오지 못해 죽은 친구, 군대에서 의문의 죽음을 당한 동기, 어두운 심야극장에서 심장마비로 죽은 선배…… 한 친구는 자취방에서 목을 매었고 또 한 후배는 최루탄에 맞아 쓰러졌다. 또 한 친구는 끌려가서 고문을 당하고 돌아와서는 정신병원에 들어갔다가 아파트 십 층에서 뛰어내렸고 또 한 선배는 새벽까지 후배들과 술을 마시다가 달려오는 택시에 치여 그대로 죽어 버리기도 했다. 그리고 또…… 한 남학생이 있었다. 그는 곱슬머리칼을 하고 있었고 웃으면 보조개가 들어가는 얼굴

a dimple when he smiled. He had a voice that blasted, once we got him to sing, and it often got us kicked out of drinking places...

What would they be doing if they were alive now? Well, they'd probably be wearing neckties and meeting *hubae* in a tearoom in the basement of their company building, or showing up at the wheel of a new car at evening alumni gatherings. Maybe I would have dropped out of touch with them long ago, like I have with many other friends, without wondering much about them, and maybe I would make my way along in life and at unexpected moments their faces would come to mind. Because it kept occurring to me that we were all in our twenties in the 1980s, and although I had said then that I wished I were dead, I wasn't dead; whereas those others who had run with us along the road out of the 1980s had fallen, never to rise. And because I was seized by the thought of me alone emerging from that long tunnel, leaving the others dead. Which meant that the mere sight of a dark place would make me fearful that I'd find their blue, lifeless bodies lying there.

"How is Mr. Kwŏn's health?" I asked.

"He was all right for a while, but he's having a

을 가지고 있었다. 일단 노래를 시작하면 그 목소리가 턱없이 커서, 술집에서 자주 우리를 쫓겨나게 했던…….

살아 있었으면…… 그들은 모두 무엇을 할까.

어쩌면 지금쯤 넥타이를 매고 회사 지하 다방에서 후배를 만나거나, 저녁 동창회 모임에 프라이드를 끌고 나타날 것이겠지만, 만일 살아 있었다면 다른 많은 친구들처럼 나는 그들과 오래 떨어져서 서로 별로 궁금해하지도 않고 살아갈지도 모르겠지만 이상하게도 가끔 그들의 얼굴이 눈에 밟혔다. 왜냐하면…… 그들은 우리들의 이십대가 고스란히 놓인 1980년대, 내가 죽고만 싶어, 죽고만 싶어, 하고 중얼거리며 죽지 못하고 빠져나온 1980년대의 한 길거리에서 우리와 함께 달리다가 고꾸라졌다는 생각이 자꾸 들었기 때문이다. 고꾸라진 그들을 두고 나 혼자 달려 나와 그 긴 터널을 빠져나와 버렸다는 생각, 그래서 어두운 곳만 보면 혹시 여기에 그들의 주검이 파랗게 누워 있는 건 아닐까 겁이 나기도 했기 때문이다.

권 선생님께서는 많이 불편하신가요?

한동안 괜찮으셨더랬는데 약한 감기에도 저렇게 힘들어하시는군요. 아무래도 감기 균도 감옥 속의 것이 좀 순한 모양입니다.

hard time now. Even little colds... You'd think his germs might have learned to behave themselves in prison."

It wasn't a particularly funny joke but he laughed as if he found it hilarious. It was a clumsy attempt to make amends for keeping a pair of young journalists waiting so long, and we forced ourselves to laugh along with him. In fact, the situation was a bit awkward and tedious. A short time later his wife appeared with sliced apples and coffee. On that spring day that was no longer balmy but downright hot, we sat on the veranda drinking lukewarm coffee.

"That's my brother's room over there," Kwŏn O-wŏn said with a mortified expression as we sat in silence, awaiting the subject of our interview and nibbling slices of apple. The room he indicated was beside the front gate. A room with traditional sliding doors and thin, light yellow paper panels that were translucent in the sunlight.

"Originally it had a hinged door. We used to rent it out, but after Brother was released we had the tenants vacate, then bought some furniture and moved Brother in. We had him turn in early that first night because he was tired, and then we shut

그는 별루 우습지도 않은 농담을 하고는 아주 재미있다는 듯이 웃었다. 그 웃음 속에는 젊은 기자들을 오래 기다리게 하는 미안함을 어떻게든 덜어 주려는 서투른 의도가 엿보여서 우리도 할 수 없이 그를 따라 웃었다. 사실은 좀 멋쩍었고 지루했다. 잠시 후, 그의 아내가 깎은 사과와 커피를 내왔다. 우리는 화창하다 못해 덥기까지 한 봄날에 그 집 대청에 앉아서 들쩍지근한 커피를 마셨다.

저 방이 형님이 쓰시는 방이에요.

인터뷰할 대상이 없어서 침묵하며 사과만 베어 먹고 있는 우리에게 몹시 미안하다는 표정을 지으며 동생이 이야기를 시작했다. 그가 가리키는 곳은 권오규가 거처하는 문간방이었다. 엷은 미색 한지가 훤히 비치는 그런 한옥식 미닫이방이었다.

원래는 저 방이 여닫이문이 달린 방이었죠…… 형님이 출옥하신 지 얼마 안 돼서예요. 원래 세를 주었던 방을 내보내고 나서, 그 방에 가구를 좀 들여놓고 형님을 저기 거처하시게 했죠. 피곤하니깐 쉬시라고 하고 우리는 방문을 닫고 잠이 들었는데 다음 날 아침, 형님이 일어나시지 않았는지 방에서 별 기척이 없어요. 얼마나 피곤하실까 싶어서 형님을 깨우지 말기로 하고선 저는 가게로 나가고

the door and went to bed. The next morning we didn't hear him stirring and figured he was still asleep. We assumed he was exhausted and decided not to wake him. I left for the shop, and my wife had something to do, so she left his breakfast on the veranda and went out. We were having the shop remodeled and didn't have much time for anything. My wife left a note saying breakfast was on the meal tray and for lunch he should order noodles with black-bean sauce from a Chinese restaurant, and she wrote down the number for him to call and directions to our house. But by four in the afternoon I'd called home several times and there was no answer. That seemed odd, so I rushed home. The meal tray hadn't been touched and there was no sign of Brother. You can't believe the things that went through my mind. And then I heard banging from inside his room. I opened the door ... and there was my brother, drenched with sweat, staring at me. 'Brother, why are you pounding on the door? Why didn't you come out?' I said. And then I realized he was so embarrassed he couldn't say anything... I found out later that this happens a lot with long-term prisoners. Think about it. He'd been locked up for twenty years and forgot how to open

애엄마도 볼일이 있어서 밥상을 마루에 차려 놓고 밖으로 나갔죠. 우리가 그때 가게를 한창 수리하고 있던 때라. 경황이 없어서 밥상 위에 쪽지를 써 놓고 나갔더랬어요. 아침은 밥을 드시고 점심은 중국집에서 자장면을 시켜서 드시라고, 중국집 전화번호를 적고 우리 집을 그곳에 알려 주는 방법을 적어 놓은 거지요. 그런데 그날 오후 네 시 넘어서까지 집에 아무리 전화를 해도 받지를 않아요. 이상한 생각에 제가 집으로 뛰어왔지요. 밥상도 그대로고 형님도 보이지 않았어요. 정말 별의별 생각이 다 든 건 말도 마세요. 그때 형님 방 쪽에서 쾅, 쾅, 쾅, 문 두드리는 소리가 나요. 깜짝 놀라서 방문을 열어 보니까…… 형님이 땀이 범벅이 된 얼굴로 절 바라보시더라구요. 아니 형님, 왜 이렇게 문을 두드리세요. 나오시지 않구, 하니까…… 그제야 형님이 당황해하시면서 말씀을 못하세요. 나중에 알아보니까 장기수들이 출옥하면 그런 일이 많다는 거예요. 생각해 보세요, 이십 년 동안 갇혀 있다 보니까 스스로 안에서 방문을 열 수 있다는 걸 잊어버리신 거죠. 아침도, 점심도 거르시고…… 형님은 안에서 계속 문을 두드리셨던 거예요. 나가는 기척이 들리는 것 같으니까, 혹시나 혹시나 하다가 문을 두드렸던 거죠. 세상

a door from the inside. So he didn't get his breakfast or his lunch and just kept pounding on the door. He probably heard us leaving and wondered what if, what if, and began pounding... It's hard to believe."

He quickly lowered his reddening eyes and took out a cigarette. The photographer coughed nervously and fumbled with his camera lens.

"I guess these things really happen when you lock up a human being. Scary, isn't it? My brother used to play rugby, you know. And in prison he worked out, did breathing exercises. But he's so weak now. He's still not used to walking around town. In his cell he could take only seven or eight steps before he'd have to turn around, then he'd take another seven or eight steps. He's still in the habit of doing that: he kind of flinches and pulls up. The first time we saw him do it on the street, we thought he wasn't feeling well. He said he wanted to rest for a moment. We were downtown showing him around... And now I realize it was a habit. He thought he was going to bump into that jail-cell wall that was facing him for twenty years. It's like that wall is still part of him, and it's going to take a lot more time to get rid of it."

에…….

동생은 붉어진 눈시울을 얼른 내리깔며 담배를 집어 들었다. 듣고 있던 사진기자가 카메라 렌즈를 만지작거리며 작게 기침을 해댔다.

인간의 몸뚱이를 가둬 두는 게 사실은 그렇게 무서운가 봅니다. 일이 있기 전에 형님은 럭비 선수시기도 했는데…… 감옥에서 운동을 하시고 단전호흡도 하셨다고는 하지만 지금은 너무 약해지셨어요. 길을 걷다가도 자꾸만 깜짝깜짝 놀라서요. 감옥에서 혼자 일곱, 여덟 걸음 걷고는 뒤돌아서서 일곱 발짝 또 걷고 하던 버릇이 아직 남아 있던 거죠. 처음엔 화들짝 놀라시면서 걸음을 멈추시기에 저희는 어디 몸이 아프신가 했어요. 형님은 조금 쉬었으면 하시더군요. 저희로서는 시내 구경을 시켜드리려던 거였는데…… 그것도 알고 보니까 그런 버릇 때문이었어요. 이십 년 동안 바라보았던 감옥의 벽이 눈앞으로 화악 달려드는 것 같은 환영을 보시는 거죠. 형님이 나오시긴 했지만 이미 몸속에 들어와 버린 그 벽을 허물려면 얼마나 세월이 더 필요할지…….

사진기자는 마당 한 켠에 있는 재생고무로 만든 붉은 대야만 바라보고 있었다. 나는 천천히 사과를 베어 먹었다.

The photographer was gazing at the red reconstituted-rubber washbasin in the corner of the yard. I slowly nibbled at my piece of apple.

A little over an hour after we arrived, the elder Kwŏn appeared. His sister-in-law opened the front gate and Kwŏn O-gyu rushed across the short interval to the veranda.

"I'm so sorry, inviting you young people here and then..." He stepped onto the veranda, produced a handkerchief, and mopped his brow. "I was on my way to the clinic and got to thinking about a gentleman named Yi Sang-u. He was a partisan during the war. He got out of prison not too long ago and it occurred to me he might not have long to live. So I called him out of curiosity, and it was just like I thought... I took him to the general hospital just now. I'm very sorry."

His sister-in-law broke in as she served him a cup of ginseng tea: "Brother-in-law, you're not well yourself. If you keep this up and get to feeling worse, what's going to happen? If someone needs tending, why not let the young folks do it? And what about your cold? Did you go to the clinic?"

"I'm fine. I'll get something at the drugstore. A cold's not the sort of thing to worry about. The

권오규는 우리가 찾아간 지 한 시간 남짓 후에 나타났다. 계수가 대문을 열어 주자 그 대문에서부터 대청까지의 몇 미터도 안 되는 거리를 헐레벌떡 뛰어오는 것이었다. 권오규는 얼른 대청으로 올라서며,

미안하군요, 젊은이들한테…… 오시라고 해 놓고.

라고 말하며 손수건을 꺼내 이마의 땀을 닦았다.

이상우 선생이라고 빨치산이셨던 분이 얼마 전에 출옥을 하셨는데 고만 오래 못 넘기실 것 같아서 말이에요. 병원에 가는 길에 혹시나 하고 전화를 해보니까 역시 그러시더군요. 그래, 큰 병원에 모셔다 놓고 오는 길입니다. 이거 너무나 미안하군요.

아주버님도…… 몸도 편찮으신데 그러다가 더 병나면 어떻게 하시려구 그러세요. 그런 건 이제 좀 젊은 사람들한테 맡기세요. 감기는…… 병원에 가셨어요?

권오규에게 인삼차를 내오며 그의 계수가 말을 거들었다.

아닙니다. 난 괜찮아요. 약이나 좀 지어 먹지요. 감기쯤이야 뭐…… 그 이상우 선생이 남쪽에 무슨 가족이라구 있어야지 말이에요. 그렇잖아도 장기수 후원회 젊은이들이 왔습디다.

그는 우리를 앉혀 놓고 계수씨와 오래 말을 한 게 미안

point is that Mr. Yi doesn't have any family here in the South. And as a matter of fact, some young people who belong to a support group for long-term prisoners were at his house."

He smiled meekly, as if to apologize for having made us sit longer while he spoke with his sister-in-law. The smile produced a mass of crow's-feet around his eyes. It was strange. People say you get those wrinkles from laughing. Was it possible for a person spending twenty years in jail to have laughed enough to leave such deep furrow? I shifted my gaze from his eyes and looked at the two brothers. The younger brother's face looked older, but he was losing his hair and was on the pudgy side, while the face of the elder brother was oval and narrow. People seeing them separately wouldn't have noticed a likeness, but together they somehow resembled each other. How can I say—they had a similar childlike expression you wouldn't notice when they were sitting quietly, but it jumped out at you when they laughed. You might see that expression if you stopped your car at a crosswalk and watched grade school children flocking across the street after dismissal... There it was, my peculiar imagination acting up again. In the expressions of

하다는 듯 겸연쩍게 웃었다. 웃는데 그의 눈가에 잔주름이 깊게 몰려들었다. 이상했다. 감옥에서 이십 년을 보낸 사람이 대체 언제 웃을 시간이 있었길래 저 사람의 눈가에 저토록 오랜 세월을 웃었던 흔적이 팬 것일까. 나는 권오규의 눈가에서 시선을 떼어 두 사람을 마주보았다. 나란히 앉은 형제의 얼굴, 동생 쪽이 오히려 나이가 많아 보였지만, 동생 쪽은 머리가 벗어지고 몸이 비대한 편인 데 비해 권오규는 얼굴이 좀 갸름하고 마른 편이었지만, 만일 그 둘이 나란히 앉아 있지 않았다면 닮지 않은 형제라고 생각했을 사람들이겠지만 그들은 닮아 있었다. 뭐랄까, 그들의 얼굴에는 그들이 가만히 있을 때는 숨어 있던 어떤 아이들의 모습이 웃음을 띨 때마다 튀어나오는 것 같은 공통점…… 차를 몰고 가다가 막 수업을 파한 초등학교 앞 횡단보도에 멈추어 설 때 와아 뛰어가는 아이들의 모습이…… 세상에, 그건 또 무슨 해괴망측한 상상력인지. 오십이 다 된 두 노인네 형제의 모습에서 신발주머니를 덜렁덜렁 흔들며 뛰어가는 아이들, 한 이 학년쯤 된 아이가 그래도 제가 형이라고 한 일 학년쯤 되어 보이는 동생의 손을 꼭 붙들고 뛰어가는 그런 얼굴을 느끼다니…… 나는 얼른 터무니없는 상상에서 깨어나 기자로서

those two brothers who were well into their fifties, I perceived two children running along, school shoe pouches dangling, a second grader, the elder, clutching the hand of his little brother, a first grader...

I quickly awoke from my reveries, remembered I was on assignment, and offered Kwŏn O-gyu my card. He extracted a small magnifying glass from the pocket of his pale, sky blue dress shirt, peered at the card, and nodded. But as he looked at the card that identified me as a writer for the *Women's Monthly*, the strange feeling returned. What could the *Women's Monthly* possibly mean to a man who had spent twenty years in prison, a man who had forgotten how to open a door from the inside? Had he ever read it? Would he read such a magazine in the future? After talking with these two brothers who seemed too old for their age, I left with the photographer.

The only notes I took with me down the Samyang-dong alley were the names Yi Mun-su and Hwang Mun-ch'ŏl and next to them the words "executed" and "died in jail." Normally, when I return from interviewing an author, all sorts of phrases occur to me. But not this time—not even a

의 일을 생각했고 권오규에게 명함을 내밀었다. 그는 연한 하늘색 와이셔츠 윗주머니에서 작은 돋보기를 꺼내 쓰고 내 명함을 들여다보며 고개를 끄덕였을 때 나는 상상에서 깨어나 이상한 기분에 다시 사로잡혔다.

이십 년 동안 옥살이를 한 그에게, 방문을 안에서도 열 수 있다는 걸 잊어버린 그에게 대체 《월간 여성》이 무슨 상관이란 말인가…… 그가 언제 한번 그걸 읽어 보기라도 했으며, 앞으로도 이런 책을 읽기하도 할 것인가 말이다. 나는 이제는 다만 너무 늙어 버린 그 두 형제와 이야기를 나누다가 그 집을 나섰다.

삼양동을 내려오는 내 취재수첩에는 그저 이문수와 황문철이라는 이름이 처형, 옥사라는 글자 옆에 나란히 적혀 있을 뿐이었다. 보통 작가를 인터뷰하고 내려오는 길에는 이것저것 문안들이 떠오르게 마련인데 이상하게 제목도 떠오르지 않았다. 다만, 저 사람 오십이 다 된 지금 장가는 어떻게 갈 것인지, 책이 그리 많이 팔리지도 않는다는데 생계는 어떻게 할 것인지, 몸도 안 좋다면서 다른 장기수를 뒷바라지나 하면서 평생을 살 것인지…… 그런 기사화되기 힘든 생각들만 떠올랐다.

title. All I could think of were things that would be difficult to make into a story: How was this man in his fifties supposed to find a wife? How was he to make a living when his book didn't sell very well? How could he spend the rest of his life caring for other long-term prisoners when he himself was not in good health?

The elevator arrived at the ground floor. Separately and silently the photographer and I walked to the door. While I was wondering what to eat, we emerged onto the street and were ambushed by the wind.

"What is it with this weather? No ... we don't get typhoons in the spring, do we?"

We both looked up. The gray clouds covering the sky looked too massive and weighty, and for some peculiar reason the wind unsettled me.

"Looks like the sky's about to collapse, doesn't it." The photographer stuck his hands in his pockets. Without his heavy camera bag he looked like he was swaggering. "Today's the second anniversary of Kang Kyŏng-dae's death." He spoke rapidly, crouching to avoid the wind.

"Today?"

엘리베이터는 일 층에 도착했다. 우리는 앞서거니 뒤서거니 걸었다. 점심은 뭘 먹을까 하면서 빌딩의 현관문을 여는데, 바람이, 마치 오랜 시간을 고여 있다가 문을 여는 우리에게 한꺼번에 달려들기라도 하는 듯이 불어왔다. 이상한 날씨였다.

날씨가 왜 이러지…… 가만, 봄에도 태풍이라는 게 부나?

사진기자와 나는 똑같이 하늘을 올려다보았다. 색깔에도 무게를 달수 있다면 아주 무거운 육중한 회색 구름이 하늘을 뒤덮고 이상하게 섬뜩한 느낌의 바람이 불고 있었다.

꼭 금방 하늘이 무너져 버릴 것 같다…….

나와 같이 하늘을 올려다보던 사진기자 주머니에 두 손을 찔렀다. 늘 렌즈나 사진기나 필름 등을 넣고 다니던 그의 무거운 가방이 없어서인지 그는 휘청대는 것처럼 보였다.

오늘이 강경대 이 주기잖아.

그는 바람을 피해 가슴을 웅크리고 걸으며 빠르게 말했다.

오늘이……?

꼭 이십 년 전 일 같지?

우리는 설렁탕집에 들어가 수육을 시켜 놓고 반주를 한

"But doesn't it seem like it was twenty years ago?"

For lunch we had meat and a bottle of *soju*. We finished the liquor without saying much. Back outside, the photographer squinted his drink-reddened eyes and made a wry face.

"What if I told you I could bear sounds of sorrow and false accusation in the wind? Would you tell me I was crazy?"

Maybe some dust had blown into his mouth, because he spat. I managed to put my arm around his shoulders; it wasn't easy, him being six inches taller.

"No, I'd probably say you won't last long thinking like that."

"And I'd probably say you're right."

Two years ago today, April 1991, Kang Kyŏng-dae had been killed by a riot policeman's metal baton outside the gate to our school. And here we stood drink-sodden and bewildered on a windy street, smiling stupidly.

I picked up the envelope of materials on Kwŏn O-gyu that had dropped at my feet earlier. Inside, my eye came to rest on a sheaf of papers. It was a copy I'd made at the library of his indictment twenty-two years earlier. I'd underlined in red the passages I

잔씩 했다. 사진기자도 나도 별말을 하지 않고 소주를 한 병이나 비웠다. 다시 거기로 나왔을 때 사진기자가 발그레한 눈가를 찌푸리며 웃었다.

내가 만일 말야, 선배, 지금 이 바람 속에서 어떤 울음소리를 듣는다면 말이야, 구슬프고 억울하고 그런 소리를 듣는다면 선배는 나보고 또, 미친놈 그러고 말겠지?

그는 말을 마치고 먼지가 입으로 들어갔는지 침을 뱉었다. 나는 나보다 키가 십오 센티미터나 큰 그의 어깨에 힘겹게 어깨동무를 했다.

아니, 대신 이렇게 말할걸. 너 그렇게 살다간 오래 못 버틴다.

그래, 그것이 정답이야.

그가 대답했고, 우리는 1991년 4월의 대학 정문 앞에서 쇠파이프에 맞아 죽은 강경대가 죽은 지 이 년 되는 날에, 소주 한 병의 취기에 얼떨떨하게 젖어서, 바람이 부는 길거리에 서서 피들피들 웃었다.

발치에 떨어뜨렸던 권오규에 대한 자료들을 집어 올리다가, 나는 그 봉투 속에서 한 뭉치의 자료들을 발견했다. 도서관에서 이십여 년 전의 그의 공소 자료들을 찾아낸

intended to quote in my story. According to the indictment, the Kwŏn O-gyu "ring," through Kwŏn's "Letter to Intellectuals, the Press, and the Clergy" and his essay 'The Way of the Masses," had orchestrated student demonstrations; had given comfort to the North Korean Communists by using slogans with which the North typically defamed the South, such as "Comprador Nepotism" and "Capitalist Exploitation"; had charged that the Yushin administration was a military dictatorship; had plotted a violent revolution, designating the laborers and farmers as the major forces that would overthrow the Park Chung Hee government and launch a Communist revolution; and in planning bloody demonstrations with Molotov cocktails and wooden clubs was an incorrigible force supporting that revolution.

Such were the crimes that had landed him a life sentence. And as a full-time revolutionary who had graduated from college, who enjoyed a certain stature in society, and who had dedicated his life to the Communist revolution, he was differentiated from students, whose sentences could be commuted.

That era, compared with 1991, when Kang Kyŏng-dae had died, really felt like a different time to me.

복사물이었다. 나는 여기저기에 기사를 쓸 때 인용하기 위해서 붉은 줄을 쳐 놓았다. 공소장에 따르면 권오규의 '일당'들은 '지식인·언론인·종교인에게 드리는 글'이라든가 '민중의 길'이라는 유인물을 통해서 학생들의 데모를 배후조종하고 북쪽의 상투적 대남 비방 구호인 '매판족벌', '자본주의적 착취' 등의 구호를 사용하여 북한 공산주의자들을 이롭게 하고, 유신 정권을 군사독재 정권이라고 규정하여, 노동자·농민을 박정희 정부를 전복하고 공산혁명을 세울 수 있는 주요 세력으로 설정하여 폭력혁명을 구상하고, 각목·화염병 등을 준비하여 데모를 유혈화하는 준비를 한, 구제받을 수 없는 공산혁명의 찬동 세력들이었다는 것이다.

그것이 그를 무기징역을 살게 한 죄들이었다. 더구나 그는 그 당시 이미 학교를 졸업한 사회인의 신분으로 평생을 '공산혁명'에 몸 바치기로 한 전업적 혁명가로서 후에 형집행정지로 석방된 학생 신분의 다른 사람들과도 구분되었다.

강경대가 죽은 1991년에 비하면 참으로 격세지감이 느껴졌다. 유인물과 화염병이 무기징역 선고의 절대적인 증거가 되다니…….

To think that printed matter and Molotov cocktails could be grounds for a life sentence...

What to do? Are we really going to postpone Kwŏn until next month and run Yi as scheduled? With this thought I put away the materials. The wind was still gusting and kicking up dust outside the window. On the deadline board those articles that had been completed were circled in red: "A Smart Wife Finds New Positions for Sex"; "Everything You Always Wanted to Know About Good Housekeeping"; "How to Cure a Womanizing Husband"; "One Woman's Struggle to Overcome Liver Cancer." Next to this month's book assignment was Yi Min-ja's name, and beside it a checkmark that demanded action. I was sure, before I hurried out that morning to interview her, that Kwŏn's name had appeared there. I hadn't formally consulted with the editor about carrying the Yi story this month. Although I'd earlier put the Kwŏn story back in its manila envelope and marked it for June, I still had mixed feelings. And now, even if I decided to argue with the editor, the words for the article were not coming to me, whether it should be Kwŏn or Yi, and so all I did was close up my notebook and smoke two cigarettes in rapid succession. I had just

어떻게 할까, 정말 권오규라는 사람을 다음 달로 미루나, 이민자를 그대로 실어 버리나 생각을 하면서 나는 자료들을 덮었다. 바람은 여전히 뿌옇게 창밖에서 불어 젖히고 있었다. 마감 상황이 적힌 상황판에는 이미 완성된 기사들에 빨간 동그라미들이 쳐져 있었다.

머리 좋은 아내가 펼치는 섹스 체위, 알뜰살림 총집합, 남편의 바람기 이렇게 잡는다, 간암 이겨낸 극적 투병기…… 그리고 이달의 책 취재란에는 이민자의 이름이 적히고 그 옆에 독촉이라는 체크가 되어 있었다. 오늘 아침, 부랴부랴 취재를 떠나기 전까지 분명 그 자리에는 권오규라는 사람의 이름이 적혀 있었다. 나는 아직 이민자를 이번 달에 싣겠다고 정식으로 데스크와 의논한 일이 없었다. 아까 내가 권오규에 대한 자료를 누런 봉투에 넣고 6월호용이라고 써 놓았음에도 불구하고 기분이 좀 묘했다. 하지만 지금 와서 그걸 데스크에게 따지자고 해도 권오규든 이민자든 내게 어떤 생각도 잘 떠오르지 않는 상황 이어서 나는 그저 취재수첩을 덮어 놓고 담배만 연방 두 대를 피워댔다. 두 번째 담배를 막 끄려는데 급사 아이가 전화가 왔다고 알려 왔다.

전화기 속에서 들리는 것은 뜻밖에도 강 선배의 목소리

crushed out the second one when the office girl told me I had a phone call.

To my surprise the voice coming from the receiver was that of a *sŏnbae* named Kang. In a tone that sounded slightly uneasy he told me he was waiting in the basement tearoom.

I checked my watch. Barely two o'clock. Why was he here? I hadn't seen him in years, had only heard gossipy news of his divorce.

I waited for the elevator. The full light remained on as each of the floor numbers was displayed. While the elevator rose and fell, I looked down at the streets of Yŏŭido, where the wind still swirled madly.

It's been five years, it suddenly occurred to me. Five years since I was hired as a temporary with some help from my uncle, who owned this magazine. At the time, I worked on household budget books. It was autumn and the sun still blazed down crisply on every street. My job was to design and lay out a one-year budget book that had, in the corner of each page, a recipe, a good-housekeeping hint, or information on buying a family car. As I sat in the corner of the dark reference room looking at slides

였다. 그는 좀 쑥스러운 듯한 말투로 지하 다방에서 기다리고 있다는 말을 전했다.

나는 시계를 들여다보았다. 오후 두 시가 막 넘어가는 시간이었다. 강 선배가 연락도 없이 왜 찾아왔는지 전혀 감이 잡히지 않았다. 그의 떠들썩한 이혼 소식을 먼발치에서 전해 들었을 뿐, 요 몇 년 동안 나는 그를 만난 적이 없었다.

기다려도 엘리베이터는 올라오지 않았다. 1, 2, 3, 4 …… 9라고 적힌 숫자판 옆에 FULL이라는 불이 켜진 채였다. 엘리베이터가 오르락내리락하는 동안 나는 여전히 바람이 미친 듯이 불어가는 여의도의 거리를 내려다보며 서 있었다.

그러자 불쑥, 벌써 오 년이라는 생각이 들었다. 처음에 이 잡지사의 사장인 외삼촌의 주선으로 계약직 기자가 되었을 때, 나는 가계부를 만드는 일을 했다. 그때는 아직 거리마다 건조한 햇빛이 쨍쨍한 가을날이었다. 일 년 동안 사용할 가계부 포맷을 만들고 가계부의 모서리마다 집어넣을 요리며 알뜰살림 힌트며, 그도 아니면 마이 카 상식을 만드는 것이 나의 일이었다. 그때 어두운 자료실 한

of recipes for foreign foods I wondered how the people in those countries could have such bright faces, faces devoid of guilt and apology. How could they drink beer every day with salad and fruit slices? How could they go around so proudly in such expensive clothes? I would turn on the projector, each slide would click into place and light up—meat sauce for spaghetti, thousand islands dressing on a salad, sausage wrapped in iceberg lettuce and steamed—and I would carefully record the slide number on a slip of paper and stick it between the galleys of the budget book. And then I would ask myself: What the hell am I doing here looking at slides of exotic foreign food? My friends, the friends I had so passionately declared my love for, had they ever tried such food? Would they ever ride in a family car and practice good housekeeping by eating those foods? These thoughts created in my mind the illusion, as I jotted down slide numbers with my ball-point pen, that I was writing in the corners of the pages, "I want to die, I just want to die."

It was around that time that I had last seen Kang. He had waited for me in the basement tearoom. It had been almost three months since I'd sneaked away from the group. To disguise himself he had

권에서 슬라이드 필름으로 보관되어 있는 요리들을 찾아 내면서 나는 생각했다. 대체 이곳 사람들은 어쩌면 저렇게 밝은 얼굴을 하고 있을까, 어쩌면 그들은 조금의 죄의식이라든가 조금의 미안한 얼굴이라든가 그런 것들이 없는 것일까, 어떻게 날마다 샐러드나 과일 안주에 맥주를 마시고, 어떻게 저렇게 비싼 옷을 자랑삼아 입고 다닐 수가 있는 것일까, 나는 슬라이드 환등기를 켰다. 슬라이드는 찰칵, 찰칵 돌아갔고 찰칵, 찰칵 돌아가는 슬라이드가 환하게 불을 밝히며 스파게티 미트 소스며 사우전드 아일랜드 드레싱을 얹은 야채샐러드며 소시지 양상추 샐러드 찜 같은 그림들을 보여 줄 때마다 슬라이드의 번호를 열심히 적어서는 가제본된 가계부 갈피에 끼워 놓았다. 나는 대체 어쩌자고 여기서 이런 낯선 이국 음식의 슬라이드들을 찾고 있는 것일까. 그들이, 내가 사랑한다고 외치던 그들이 대체 이런 음식을 먹어는 보았을 것이며, 아니면 지금이라도 혹여 먹고는 있을 것이며 그도 아니면 죽는 날까지 마이 카를 타고 알뜰하게 살림을 꾸리며 이 음식들을 먹을 수도 있을 것인가. 그런 생각이 들 때마다 나는 볼펜을 놀려 그런 요리들의 고유 번호를 적으면서도, 마치 내가 그 가계부의 한 권에 죽고만 싶어, 죽고만 싶

permed his hair and wore black-rimmed glasses. He had a weary expression, which brightened when he saw me. The perm was wearing off and his hair stuck up every which way. But in contrast with this riotous spread of hair were the fine wrinkles, clearly visible in the dim light, on his gaunt face. Although I had seen those wrinkles every day, there in the tearoom they weighed on my mind, and to avoid looking at them as I sat down across from him I quickly took a drink from his glass of water.

"Well, are you doing okay?" he asked ever so carefully.

I knew why he was being careful, and I lowered my gaze, but then wondered if that was the only reason. *No, to be honest, I wish I could die,* I felt like saying. But that sounded trite, so all I did was nod, tight-lipped, eyes still downcast.

"I wanted to look you up right away, but I figured you had enough to deal with already... Why didn't you tell us! You could have explained, put our minds at ease, and then left—"

At that point he stopped. For I was in tears. Even now I can't put my finger on the reason for those tears. But while I cried, head still bowed, I was thinking: My disappearance, my telling those of you

어…… 라고 쓰고 있는 착각을 느꼈다. 강 선배를 마지막으로 본 것은 아마도 그 무렵이었을 것이다.

그때도 강 선배는 건물 지하 카페에서 기다리고 있었다. 내가 그곳을 빠져나온 지 거의 삼 개월 만이었다. 그는 변장을 위해서였는지 파마를 하고 검은 테의 안경을 쓰고 있었다. 그는 피곤한 표정을 하고 있다가 나를 보자 얼굴을 펴며 조금 웃었다. 파마기가 아직 서투르게 남아 있어서 제멋대로 뻗친 머리. 하지만 그 무성하게 뻗대는 머리칼과는 달리 까칠한 잔주름이 잡히는 얼굴이 어두운 조명 아래서도 잘 보였다. 날마다 얼굴을 마주하고 보아 왔던 잔주름이면서도 그의 얼굴에서 피어나는 그 까칠한 잔주름이 마음에 밟혀서 나는 마주 앉자마자 그의 앞에 놓인 물잔을 들어 얼른 마셨다.

그래, 괜찮니?

그는 아주 조심스레 물었다. 그가 왜 조심스럽게 나에게 묻는지 그 이유를 알고 있었기 때문에 아, 단지 그것 때문이었을까, 나는 그저 얼른 시선을 내리깔았다. 아니에요, 사실은 죽고만 싶어요, 미안해요, 라는 말을 하고 싶었지만 그것조차 너무 상투적인 말 같아서 나는 그저 입을 다물고 시선을 여전히 내리깐 채로 고개만 끄덕였다.

in the group that I was going to the market for dinner things and then running away—it was because all of you were right. There was no excuse I could give you. I couldn't say, for example, that my father had taken ill, or that my family was short on money and I had to get a job, or that I suddenly felt sick and thought I was going to die. Every excuse I came up with was a dead end... But I wasn't crying because the group members had been right. There was another reason: Every day with them had been nerve-wracking. I hated the tension of living day and night with fugitives, my nerves on end every time a siren went by outside our room. I couldn't put up with my heart hammering whenever I ventured out with mimeographed materials or books hidden in my bookbag and saw a riot policeman. I could no longer bear the hatred I felt, but I didn't think I could explain that hatred rationally, and so I ran away. It wasn't that I especially liked the place I had run to, this place where I now worked. In fact a different set of dislikes awaited me here: people who picked up a newspaper and looked only at the stock prices; people who sold their apartment when the price jumped, then bought themselves another apartment whose price would jump even higher;

바로 찾아오려고 했는데 너한테 오히려 부담이 될 것만 같아서…… 왜 우리에게…… 말하지 않았었니. 니 사정을 설명하고 그리고 모두를 안심시킨 다음에 나갈 수도 있었는데…….

그는 말을 하다 말고 입을 다물었다. 왜냐하면 내가, 그가 그래, 괜찮니 하고 물었을 때부터 고개를 들지 못하고 있던 내가 여전히 고개를 숙인 채로 울기 시작했기 때문이다. 그 눈물의 의미는 지금 생각해 봐도 뭐라고 딱히 꼬집어 낼 수 없는 것이긴 했다. 다만 나는 그때 울면서 생각했다. 내가 도망쳐 나온 것은, 내가 저녁거리를 사러 시장에 간다고 말하고 도망쳐 나온 것은 당신들이 옳았기 때문이에요. 옳은 당신들에게 무슨 말로, 가령 예를 들어 아버지가 갑자기 아프시다거나, 집안이 기울어서 내가 지금 당장 돈을 벌지 않으면 안 돼요 라거나, 갑자기 병이 나서 죽을 것만 같아요, 라는 핑계도 없이 그곳을 나올 수가 있었는지 아무리 생각해도 막막했기 때문이에요, 라는 생각…… 그들이 옳았기 때문에 운 것은 아니지만…… 그랬다, 날마다 조마조마한 그 시간들이 싫었다. 수배자들과 함께 자고 먹고, 방 밖에서 경찰차 지나가는 소리라도 나면 온몸의 신경이 쭈뼛쭈뼛 서는 그 느낌들. 등사물을

people who traded in their car; people forcing me to listen over beer to stories about their one-night stands...

"Silly thing," he said with a smirk before giving me a gentle pat on the shoulder. My tears had almost stopped.

He said he had a pressing engagement and as he was leaving I offered him the pay envelope I'd just received for that month. He peered inside, extracted five 10,000-*wŏn* bills, and tucked them in his pocket.

"Is that better?" he asked. "Now you don't have to feel so guilty."

Clutching the pay envelope he'd returned to me with all the remaining 10,000-*wŏn* notes, I followed him down that building-lined street in Yŏŭido.

It was a dazzling autumn day.

"Go on back."

"All right." But I continued to follow him.

He turned toward me, his face solicitous, his hair sticking out in all directions on that windless day.

"Go on, now."

He walked a short distance farther, then turned back again. In exasperation he lit a cigarette.

"You'll find this out eventually, but maybe I

나르거나 책을 가방에 숨겨 가지고 거리에 나설 때, 전경이라도 보이면 가슴이 미친 듯이 방망이질 치던 그 순간들이 지긋지긋했기 때문이다. 그래서 단지 그 논리적으로 설명할 수 없는 그 싫음을 견디다 못해 그저 그곳을 도망쳐 나왔지만 내가 도망쳐 향했던 이곳은 그렇다고 '싫지 않은 곳'은 아니었다. 그곳에서는 다른 종류의 싫음들이 나를 기다리고 있었다. 예를 들면 신문을 펴면 재빨리 주식 값이 적혀 있는 난만 보고 마는 사람들이 있고, 값이 뛰어오른 아파트를 팔고 값이 더 뛰어오를 아파트를 장만하는 사람들이 있고, 자동차를 바꾸고, 맥주를 마시며 어젯밤 그네들과 잠자리를 한 하룻밤 연인들에 대해 이야기를 해대고…….

바보 같은 자식은…….

그는 피식 웃으며 겨우 눈물을 그치는 나의 어깨를 가볍게 툭툭 쳐 주었다. 그날 나는 급한 약속이 있다며 떠나가는 그에게 그날 받은 월급봉투를 내밀었다. 그는 월급봉투를 들여다보고는 거기서 만 원짜리 지폐 다섯 장을 꺼내 자기 주머니에 넣었다.

이젠 됐지? …… 너무 죄책감 가질 필요 없다.

그는 말했다. 그가 남기고 간, 아직도 만 원짜리 지폐가

should tell you now. Yun-sŏk's... in the hospital. He's in critical condition."

There was a student. He had wavy hair, and a dimple when he smiled. He had a voice that blasted, once we got him to sing, and it often got us kicked out of drinking places...

Disregarding Kang's appointment, I caught up to him and, remembering he was a fugitive, led him off to the darkest place I could find: a place whose sign read "Western Liquor, Beer," and where all evening long young hostesses followed their male customers to partitioned rooms. But it was afternoon now, and the madam gave us a dubious look. We sat down side by side in one of the rooms, like lovers on a daytime date, Actually, we may have been the only ones who thought that; the madam probably knew better, A young couple going into a drinking place with partitioned rooms in the afternoon didn't have the expressions we wore, expressions that were in turn hardened, bewildered, then blank, as if we had been randomly assaulted while walking along the street.

We ordered two bottles of beer and a plate of dried snacks that were not just dried but shriveled up, and when finally the madam had yawned and

많이 남아 있는 월급봉투를 쥐고 나는 그가 사라지는 여의도의 빌딩가를 그를 따라 몇 발짝을 걸었다.

햇살이 환하게 부서지던 가을날이었다.

들어가 봐라…….

네.

어서 들어가라니까…….

하지만 그럼에도 불구하고 그를 계속 따라가는 나를 안쓰러이 돌아보던 그의 얼굴, 바람도 불지 않던 날에 제멋대로 뻗치던 그의 머리카락…… 그렇게 여의도의 빌딩가를 좀 걷다가 나를 돌아다보며 그는 담배를 물고 잠시 난감한 표정을 지었다.

저기…… 어차피 알게 될 텐데 말을 하는 게 좋을 것 같구나. 윤석이가…… 지금 병원에 있다. 중태다…….

……한 남학생이 있었다. 그는 곱슬머리칼을 하고 있었고 웃으면 보조개가 들어가는 얼굴을 가지고 있었다. 일단 노래를 시작하면 그 목소리가 턱없이 커서, 술집에서 자주 우리를 쫓겨나게 했던…….

나는 바쁘다며 떠나가는 강 선배를 붙잡고 아무 곳이나 보이는 데로, 수배중인 그의 처지를 생각해서 될 수 있으면 어두운 곳으로 그를 끌고 들어갔다. 양주·맥주라는 간

disappeared I asked him, "What do you mean?"

He finished two glasses of beer before answering.

"They were striking for a wage hike. The owner didn't want anything to do with them. As a last resort Yun-sŏk doused himself with paint thinner and went inside. You know, that owner is a notorious, pig-headed bastard, about as nasty a businessman as you can find. So Yun-sŏk, paint thinner and all, figured he'd try talking with him, and if the man was still acting obstinate he'd hold out a cigarette lighter and tell him, 'If you're not going to listen, I'll light myself up.' But he forgot how volatile the stuff is, and it was dripping all over the place. As soon as he lit the lighter, he was in flames... The owner's in critical condition, too. It's in the evening edition."

Worried about Yun-sŏk, he left without finishing his beer. I gulped what was left, and on my way back to the office to look for more recipes for things like spaghetti sauce, salad with Thousand Island dressing, and steamed sausage and lettuce, I bought a newspaper. The article, five lines of it, was on the very last page of the local-news section. The next morning I read that Yun-sŏk had died.

I had lived with Yun-sŏk for about five months. More precisely, I had let him and four other boys

판이 붙은, 조금만 더 밤이 이슥하면 아가씨들이 칸칸이 막힌 곳으로 남자 손님들을 따라 들어가는 곳. 대낮부터 들어서는 그와 나를 보며 마담이 이상한 눈초리를 보냈다. 우리는 일부러 칸막이 속에 들어가 나란히 자리를 하고 앉았다. 마치 대낮부터 사랑을 나누기라도 하는 연인들처럼…… 아니다, 그건 우리만의 생각이었는지 모른다. 마담은 아마도 그렇게 어리숙하지 않았을 것이다. 대낮부터 칸막이가 쳐진 술집에 들어서는 청춘남녀들은 그렇게 굳은, 그렇게 어찌할 바를 모르겠는, 길을 가다가 난데없이 매라도 맞은 듯 망연한 그런 표정은 짓지 않을 테니까…….

맥주를 두어 병 시켜 놓고, 그야말로 말라비틀어진 마른안주를 시켜 놓고, 마담이 하품을 하며 사라지는 것을 보고 난 다음에야 나는 그에게 물었다. 그제야 말이다.

그게 무슨 소리예요?

그는 맥주를 연방 두 컵을 마셨다.

임투 중에…… 사장이 영 말이 통하지 않으니까…… 마지막 교섭을 하려고 몸에 신나를 뿌리고 들어갔었나 봐. 그래도 이 사장이 영 막무가내니까…… 그 사장이 그 지역에서 악덕 업주로 유명한 놈이거든. 그래서 제 몸에 시

from the university stay at my apartment while they waited to be assigned to factories. Although these five, all of them my *hubae*, lived with me, I had little to do with them. In the prevailing political climate, we understood that we shouldn't ask about each other's affairs. Instead, we could only guess.

Once, shortly after they moved in, he threw a shot of *soju* at me. Before I could wipe it from my face he burst into tears. I knew his older brother had lost a hand working at a factory, and their mother worked in the factory cafeteria, and that he himself was desperately poor. In fact, I was amazed that he could afford to attend school.

"What do you know?" he sobbed. "You don't know anything ... about ... poverty."

I remember something else. It was the day he moved in. I was about to boil some water on the gas range for barley tea.

"Why boil water when you can get hot water out of the tap?" he asked.

Everyone laughed, but frankly, I was shaken. To think he'd never lived in a home with running hot water... Boiled water, hot water—it was all the same to him. As he had said, apart from what I had read in books I knew nothing except what the minimum

너를 뿌리고 교섭하다가 사장에게 라이터 불을 들이대려고 한 거지. 정 그렇게 막무가내로 나오면 라이터를 내 몸에 들이대서 불을 붙이겠다, 그런 말을 하려고 했나 보지. 그런데 휘발된 신나가 그…… 사무실 속에 퍼져 있었고 라이터 불을 켜자마자 몸으로 불이…… 사장도 중태야. 오늘 석간에 기사가 났던데…….

그는 윤석의 용태를 걱정하며 남은 맥주도 다 마시지 않고 자리를 떠났다. 나는 남은 맥주를 마저 마시고 사무실로 돌아가면서, 그러니까 스파게티 미트 소스며 사우전드아일랜드 드레싱을 얹은 야채샐러드며 소시지 양상추 샐러드찜 같은 요리들을 찾기 위해 사무실로 들어오는 길에 신문을 샀다. 그의 기사는 사회면 맨 귀퉁이에 다섯 줄로 나와 있었다. 그리고 다음 날 아침 그의 사망 소식을 나는 조간에서 읽었다.

나는 윤석과 함께 다섯 달쯤을 살았다. 아니, 정확히 말하자면 노동 현장에 배치를 받기 전에 윤석과 다섯 명의 남학생들을 우리 집에 묵게 해 주었던 것이다. 한번은 술을 먹은 윤석이 내게 술잔을 던진 일도 있었다. 그를 안 지 얼마 안 되어서의 일이었다. 그는 내게 술잔을 던져 놓고 내가 얼굴에서 소주를 다 닦아 내기도 전에 제가 먼저

wage was. If not for the jolt he gave me that first day, I would never have spoken to him again after the *soju* incident. But as I wiped the *soju* dripping from my face I felt like crying myself. Because of the apartment my parents had bought for me, because of the hot water that poured from the faucets. And my heart ached for the hand his brother had lost, and for the sixteen-hour days his mother worked in the cafeteria to earn his tuition. But apart from my heartache and regret there was nothing I could do to help him. And so I thought the best thing was to wait until his anger had died down.

The next morning there was a knock on the door to my room. I opened the door and there he was with an Indo apple, a green Japanese variety that comes out early in the summer. My gaze met his, and he promptly blushed and said, like a novice actor who had been practicing his lines, "Here, have an apple."

I poked my head out and saw four other smiling faces watching us. It seemed the students had taken some time from their busy lives to enjoy those apples. I accepted the apple and managed in all sincerity to thank him. I was thankful that he'd apolo-

눈물을 터뜨렸다. 나는 알고 있었다. 그의 형은 공장에서 일하다가 손이 잘린 사람이었고 어머니는 공장 식당에서 일을 하는, 저 애가 어떻게 대학엘 들어왔는가 놀라울 정도로 가난한 후배였다. 그는 울면서 말했다.

누나가 뭘 알아…… 누나는 몰라…… 가난……이라는 거…….

다른 기억도 있다. 그가 나의 아파트에 처음 도착하던 날, 아마도 내가 보리차를 끓이려고 주전자를 가스레인지에 올려 놓으려던 참이었을 것이다.

누나, 수도꼭지에서 이렇게 더운물이 나오는데 뭐 하려고 물을 또 끓여요?

사람들이 와와 웃었다. 나는 솔직히 그때 충격을 받았다. 더운물이 수도꼭지에서 나오는 집에 한 번도 살아 본 일이 없다니, 보리차랑 온수를 구분하지 못하다니…… 그의 말대로 나는 아는 게, 책에서 읽은 거 빼고, 최저임금 숫자 말고, 아는 게 없었다. 만일 첫날 그에게서 받은 충격이 없었다면 나는 술잔을 내게 끼얹은 그와 두 번 다시 말도 하지 않았을 것이다. 하지만 그가 끼얹어 내 얼굴에서 뚝뚝 떨어지는 소주를 닦아 내면서 사실은 나도 울고 싶었다. 내가 부모님이 사 주신 아파트에서 살고 있는 게

gized—I was older and should have approached him first—and grateful that he had gone to the trouble to offer me an apple he could have eaten himself. I knew he had better things to do and didn't get enough to eat.

We were reconciled by that apple, and through our reconciliation we became close. I frequently ate with them, and when I occasionally grilled meat for our meals I realized with concern how ravenous their appetites were. The day they left for the factories, we shared one last dinner. And once more Yun-sŏk sang in that blasting voice of his:

If the blue mountain calls me, say I have gone,
To death's dreamless season, there do I lie.
I have crossed that broad river,
I have gone, you must say.

The cry of souls in that fathomless place,
The bone-crushing pain of my people
in that more perilous place,
To history I devote my small lone self,
I will fight and I will love.

This time there was no one to kick us out of a

미안했고 뜨거운 물이 펑펑 나오는 게 미안했고 그의 형의 잘린 손이, 그의 어머니가 공장 식당에서 하루 열여섯 시간을 일하시면서 그의 대학 등록금을 대는 게 가슴 아팠다. 하지만 미안해하고 가슴이 아픈 거 외에 내가 해 줄 수 있는 일이 없었다. 그래서 나는 그저 그가 스스로 화를 풀 때까지 기다려 보자고 생각했는데 다음 날 그가 먼저 내 방문을 두드렸다.

다섯 명의 후배들이 내 집에 살고는 있었지만 나는 그들과 함께 행동할 일은 거의 없었다. 대충 짐작을 할 뿐, 서로의 일들에 대해 묻지도 않았고 알려고 해서는 안 되는 상황이었다.

내가 문을 열자 그는 한여름에 일찍 나오는 새파란 인도 사과를 한 알 들고 서 있었다. 나와 눈이 마주치자 그는 갑자기 어쩔 줄 모르겠다는 듯이 얼굴을 붉히더니 오래 연습을 한 신인 배우처럼 말했다.

저기, 사과 드세요…….

비죽이 내다보니 다른 네 명의 학생들이 웃으며 우리를 바라보고 있었다. 빠듯한 계획 속에서 모처럼 사과를 사다 먹는 모양이었다. 나는 사과를 받아들고 겨우 고마워, 하고 말했다. 그건 진심이었다. 나는 그가, 먼저 사과를

drinking place. Still, his voice blasted loud enough to make me wonder if I'd get kicked out of my apartment.

"Let's shake hands," he said, shyly extending his hand. It seemed for a moment that he might withdraw it, but then he took mine firmly in his and gazed at me. "How can I thank you? I used to feel like a poor, narrow-minded student trying to work his way through school. But I'm not like that anymore. You believe me, don't you?"

I nodded.

Smiling, he slowly released my hand. "Well, I definitely want to see you again. We, uh—"

I nodded again, but without conviction. *We live in a time where we can't make promises. You or I might be dragged away to jail,* I almost said to him. But never, even in my dreams, had I thought that death in all its vastness would divide us. I had wished him good health and courage at his factory, had wanted him to look back on his youth and know he had nothing to be ashamed of.

Kang called me once more. We couldn't bring ourselves to openly mention the departed Yun-sŏk. Kang was still a fugitive, and I had my budget books to design, and so we hadn't attended the

하는 그가, 명색이 선배인 내게 사과를 하는 그가, 빠듯하고 배고픈 나날의 일상 속에서 제가 먹을 사과 한 알을 내게 건네준 그가 고마웠던 것이다.

그 작은 싸움과 사과 한 알의 화해를 통해서 우리들은 친해졌다. 나는 그들과 함께 자주 식사를 했고 가끔은 삼겹살을 사다가 건네며 그들의 젊고 왕성한 식욕들을 안쓰러워하기도 했다. 그들이 우리집에서 떠나던 날, 떠나서 노동 현장으로 가는 날, 우리들은 마지막 만찬을 함께했다. 그는 또 턱없이 큰 소리로 노래를 불렀다

> 청산이 소리쳐 부르거든 나 이미 떠났다고
> 기나긴 죽음의 시절 꿈도 없이 누웠다가
> 나 이미 큰 강 건너
> 떠났다고 대답하라……
> 저 깊은 곳에 영혼의 외침
> 더 험한 곳에 민중의 뼈아픈 고통
> 내 작은 이 한 몸 역사에 바쳐
> 싸우리라 사랑하리……

이번에는 쫓아낼 술집 아주머니도 없었지만 내가 아파

funeral. But in the interval between the beeps warning that his three minutes on the pay phone were almost up, and the moment when the line finally went dead, he blurted out, "Today, I went by myself to his grave."

That was the last I had heard from Kang. I had then learned of his arrest, his divorce, his return to his father's house. He still didn't know. He didn't know how much I longed for him when he was a junior and I'd just entered the university. Just like Yun-sŏk, I suppose, at the time he left my apartment, had secretly longed for me.

Naive and shiny-eyed, Kang had gathered us together back then and said, "There's no magic formula. You just have to fight for anything you want to accomplish. Watch out for the little things, because the major problems actually look quite minor. We're going to begin fighting for those little things. Things around us, things inside us, things that seem trivial—those are the things we'll tackle first. Understand?"

He had said this with a smile on his face and a glow in his good-natured eyes. And then he had fought those trivial things and gone to jail, the sight

트에서 쫓겨날까 봐 걱정이었을 만큼 그의 목소리는 여전히 컸다.

누나, 나랑 악수 한 번만 해요.

수줍은 손이었다. 뺄 듯 뺄 듯 하다가 그는 내 손을 꽉 움켜잡고 나를 한참 바라보았다.

미안해요, 누나. 나는 사실은 이전에는 참 속좁은 가난뱅이 고학생일 따름이었지만 이젠 아니에요. ……이젠 정말로 그렇지 않아요. 누나, 믿으시죠?

나는 고개를 끄덕였다. 그가 웃으며 천천히 내 손을 놓았다.

저어. 꼭 다시 뵙고 싶어요…… 우리…….

그가 다시 말했을 때 고개를 끄덕였지만 나는 우리가 다시 만날 가능성에 대해 거의 생각지 않았다. 네가 끌려가든 내가 끌려가든 우리들은 기약할 수 없는 시대를 살고 있잖니, 그렇게 말할 뻔하기도 했다. 하지만 이런 식으로 이렇게 망연한 죽음이 우리를 갈라놓을 거라고는 꿈에도 생각하지 못했다. 나는 그저 그들이 노동 현장으로 가서 건강하고 씩씩하게 살아 주기만을, 그래서 부끄럽지 않은 젊은 날을 보내기를 바랐다.

강 선배는 그 뒤로 한 번 내게 전화를 걸었다. 우리는

of him dragged into court, gagged, in white traditional prison garb bringing us to tears; he had mediated between Yun-sŏk and me after the *soju* incident and managed to calm us down; and he had worked in a factory and married a factory girl with only a middle school education.

And here I was, five years later, going to see him. A man now quoted as saying there was no use risking one's life for something trivial, a man who had inherited his father's bus company, who had fathered two daughters and then separated from the factory girl with the middle school education, after which she was committed to a mental hospital.

It wasn't just his life that had changed during those five years. The tearoom we used to meet in had turned into a cafe. The dim lights hanging from the ceiling had been replaced by small, bright lights, and the dusty-looking chairs between the dividers were gone in favor of plush sofas. It was odd: I often came here, but why was I noticing these changes only now when I was seeing Kang for the first time in five years? I went inside and looked for him. And looked some more. His favorite spot was unoccupied. He recognized me first. He was at a table out in the open, wearing a silk jacket the

죽어 버린 윤석의 이야기를 하지도 못했다. 강 선배 역시 수배자라는 상황 때문에, 나는 또 가계부를 만드느라 그의 장례식에 참석하지도 못했던 것이다. 다만 전화를 어서 끊으라는 듯 삐이삐이 공중전화의 경고음이 들릴 때, 그러고 나서 정말이라는 듯 전화가 끊겨 버리는 그 사이, 아주 급박한 목소리로 강 선배의 목소리가 들렸다.

오늘 혼자서…… 묘지에 갔었다…….

강 선배와 나는 그후로는 연락을 하지 못했다. 그가 구속이 되었다는 소식이 들렸고 그가 이혼을 했다는 소식이 들렸고 그가 아버지 집으로 들어갔다는 소식…… 강 선배는 아직도 모른다. 신입생이던 시절, 삼 학년이던 그를 내가 얼마나 사모했는지를. 헤어지던 무렵 윤석이가 나를 몰래 사모했던 것처럼 나는 강 선배를 사모했다. 어리숙하게 눈을 반짝이며 앉아 있던 우리들을 모아 놓고,

말이야, 별거 아니야. 싸우지 않고 얻을 수 있는 것은 아무것도 없다. 작은 일처럼 보이는 것도, 사실은 아주 큰 문제가 작게 드러난 것에 지나지 않아. 우리는 바로 그것들을 향해 싸움을 시작하는 거란다. 우리 주변 우리 내부, 사소하게 보이는 작은 일들부터 청소를 해 나가는 거……

green color of mung beans. Instead of the black-rimmed glasses he wore a pair with sharp gold rims. The rough, unkempt, permed hair had been gently smoothed down and he had gained weight.

"You've changed so much I didn't recognize you."

"Have I, now?" he said, smiling.

The fine wrinkles that had made his face look so haggard were no longer visible. Five years earlier, when he was a fugitive, he had always found a table tucked out of sight. Why had I thought he would still do so? When he had called my name just now as I peered into the corners, and I had turned to see him, I'd been struck by an illusion that he was sitting out in the open not in a cafe but in the world itself for all to see. A world that I had condemned, and that he had wanted to reform.

"Guess what? I'm getting married. I had some business nearby and figured the least I could do was drop by and give you an invitation..."

He smiled sheepishly, produced a gilded invitation from his pocket, and held it out to me.

"So, you still like to drink in the daytime? ... You're old enough to know better, aren't you?" He smiled.

"'Still'?" I was surprised. "You mean there's some-

알겠니?

라고, 선한 눈매를 어글거리며 웃던 그를, 그 작은 일을 가지고 싸우다가 감옥에 가고, 재판정에서 하얀 한복을 입고 교도관에게 입을 틀어막힌 채 질질 끌려나와 우리 모두를 울게 만들던 그를, 윤석이 내게 소주를 끼얹었을 때, 윤석과 나를 번갈아 가며 달래던 그를…… 노동자가 되고 역시, 중학교만 졸업한 노동자하고 결혼을 했던 그를 말이다. 하지만 지금 나는 오 년 후의 그를 만나러 간다. 사소한 일 가지고 목숨 걸 필요 뭐 있어, 라고 말한다는 그를, 아버지가 경영하는 버스 회사의 사장이 되었다는 그를, 딸을 둘 낳고 살던 노동자하고 헤어진 그를, 그와 헤어진 후 정신병원에 갇힌, 중학교만 졸업한 노동자의 남편이었던 그를.

오 년 동안 변한 것은 그만이 아니었다. 카페도 변해 있었다. 그때 어둑어둑 달려 있던 카페의 늘어진 조명등은 천장에 매달린 작고 환한 조명으로 바뀌고 구석구석 칸막이 속에서 만지면 먼지가 묻어 나올 것 같던 의자들은 널찍한 소파로 변해 있었다. 이상했다. 늘 들락거리는 지하 카페의 변화를 나는 왜 그를 오 년 만에 만나는 지금에서야 깨닫는 것일까. 나는 실내를 자꾸만 돌아보았다. 그가

thing I still do?"

He lit a cigarette. We fell silent, and I recalled the beer we had drunk one afternoon five years earlier. I thought of the room salon with the sign "Western Liquor, Beer." I thought of how we had sat side by side like lovers, and how only after the madam had yawned and left had we spoken of Yun-sŏk. But Yun-sŏk was dead, Kang owned a bus company, and all we could talk about now was daytime drinking.

Kang coughed softly to break the silence and began talking about subjects that were too mundane considering he hadn't seen me in five years. He spoke in a lazy tone and I responded likewise. If he and I were now the individuals we had been five years before, then even though I had wished myself dead as I looked at slides of Western food with long, strange names, I might have spoken of Kwŏn O-gyu, prime mover of an affair that had shaken the nation in the early 1970s. I might have spoken of the life sentence he had received, the death sentence handed down to one of his comrades, the torture and the burst intestine suffered by the other, the one man executed and the other dying in jail, the twenty-odd years of Kwŏn's prime that he had

앉아 있을 법한 구석 자리에는 손님이 아무도 없었다. 나를 먼저 알아본 것은 그였다. 그는 녹두색의 실크 잠바를 입고 카페 한가운데 놓인 의자에 앉아 나를 기다리고 있었다. 검은 안경은 날이 선 금테로 바뀌어 있고, 서투른 파마 때문에 엉성하던 머리는 가지런히 돌아와 있었고, 그는 살이 좀 붙어 있었다.

몰라보게 변했네…….

내가 말했을 때 그는 그런가, 하고 웃었다. 그의 얼굴에는 이제 까칠한 잔주름이 피어나지 않았다. 오 년 전의 그는 카페에 들어가면 언제나 구석진 자리를 찾곤 했다. 수배를 받던 무렵부터 그의 습관이었다. 나는 그가 아직도 그 습관을 가지고 있다고 왜 생각했을까. 그가 나의 이름을 부르고, 구석 자리를 기웃거리던 내가 돌아보며 그를 발견했을 때, 나는 갑자기 그가 카페의 한가운데 자리가 아니라 세상의 한가운데에 앉아 있는 것 같은 착각을 느꼈다. 내가 그토록 저주했고, 그가 변혁하고 싶었던 세상의 한가운데 말이다.

사실은 결혼을 하게 됐다. 요 근처에 거래처가 있어서 지나가다가 네 생각이 나서 청첩장이라도 전해 주려고…….

spent in jail, the fact that he was now well into his fifties. I might have spoken of the idiosyncrasies Kwŏn had developed during those years of confinement: forgetting how to open a door from the inside, depending on others to open it from the outside; stopping short while walking along the street, suffering under the illusion that the wall of his prison cell was coming at him. I could have described the heartache of his companions who had witnessed this.

And if I had done so, then Kang and I, smoking too many of our Milky Way cigarettes, sniffling to disguise the redness around our eyes, would perhaps have said in spite of this, "We'll win, because we're right. And people who know the truth won't deviate from it even with a knife at their throat."

But instead he spoke up out of apparent discomfort with my silence: "When I called, you said you'd been out on assignment. Have you been busy?"

"Mm-hmm, I have a deadline coming up."

I felt ill at ease looking at him as I drank my water. The delight of seeing each other after five years was eluding us, and the delight we used to take in each other's company was tucked out of sight. It wasn't as if death was about to separate us,

그는 쑥스럽게 웃으며 주머니에서 금박이 박힌 청첩장을 내밀었다.

그런데 너 아직도 낮술 마시고 다니니? 나이가 몇인데…….

그가 웃었다.

아직……? 그래, 내가 아직도…… 하는 게 있네…….

내가 신기해서 말하자. 그는 담배를 물고 불을 붙였다. 잠시 침묵이 계속되었다. 오 년 전에 그와 함께 마셨던 맥주가 생각났다. 그때도 환한 대낮이었다. 맥주·양주라는 간판이 붙은 컴컴한 룸살롱 같은 데서 우리는 술을 마셨다. 마치 연인처럼 보이게 하려고 나란히 앉아, 마담이 하품을 하며 사라진 것을 확인하고서야 죽은 윤석의 이야기를 했다. 그런데 윤석인 죽고 선배는 사장이 되고 우리는 이제 낮술 이야기만 하는 것이다.

강 선배는 작게 기침을 하고 나서는 오 년 만에 만난 후배에게 치곤 참으로 평범한 이야기들을 두런두런 해 나갔다. 나도 그에게 두런두런 답했다. 만일 오 년 전의 우리들이었다면, 설사 그때의 나는 날마다 이상하고 긴 이름의 서양 요리들의 슬라이드를 찾으면서 죽고만 싶다고 생각하고 있긴 했지만, 아마도 오늘 같은 날 나는 1970년대

but didn't this encounter actually represent a parting of the ways for us?

"It was a rush job. I had to go visit someone named Yi Min-ja. She has a book out—"

"Aha. Yi Min-ja."

Did he really know about her? My editor's praise for her bestselling book seemed more understandable now.

"My father recently bought one of her paintings. It seems she's a distant relative of ours."

"No..."

We looked at each other and smiled at the coincidence.

"How did the interview go?"

"So-so."

"My fiancee bought her book on meditation techniques. She likes doing it so much she gave me a copy and ordered me to read it. But I haven't. Not yet, anyway. Don't have time for book reading." And then, since this talk of Yi Min-ja was smoothing over the awkwardness between us, he hastened to follow up: "What's she like in person?"

"Oh, unique, I guess you could say."

"Unique? How so?"

"Well, to give you an example, she's got a puppy.

초반 세상을 떠들썩하게 했던 사건의 주모자인 권오규란 사람의 이야기를 했을지도 모르겠다. 그가 무기징역을 받고 그의 동료들은 혹은 사형선고를 받고, 내장이 터져 나갈 정도의 고문을 받고, 그중의 하나는 사형이 집행되고 그중의 하나는 고문 후유증으로 옥사를 하고, 그러고도 그는 살아남아서 스물 몇 살의 청년이 오십이 다 되어 출옥한 이야기 말이다. 출옥을 한 후에도 감옥에 갇혀 있던 이십 몇 년간의 습관 때문에, 밖에서 누군가가 열어 주지 않으면 방문 안에서 제 스스로 문 열 줄 모르고, 길을 건다가도 마치 감옥의 벽이 그에게 달려드는 것만 같은 환각에 흠칫흠칫 놀라 서는 바람에 같이 걷던 사람들이 함께 가슴이 내려앉는 슬픔을 맛보고, 그런 그의 이야기 말이다.

그러면 강 선배와 나는 애꿎은 은하수 담배만 피워대면서 서로 붉어진 눈가를 어떻게 처리해야 할지를 몰라 코를 훌쩍여 가면서, 그래도 그럼에도 불구하고 우린 이긴다, 왜냐하면 우린 옳으니까, 진리를 한번 알아 버린 사람은 목에 칼이 들어와도 그것에서 벗어나지 못한다, 라는 말을 했을지도 모르겠지만 말이다.

하지만,

And all day long that puppy sits with its nose up against the rocks around the pond. I asked why it did that and she said it was meditating. Well, that was interesting. So I asked what it was meditating about. And she said, 'Maybe it's thinking, "Hey, there's fish in that pond."'"

With a snort of laughter Kang put down his lukewarm coffee. I laughed too. I felt thankful. If I had gone to Kwŏn O-gyu's house earlier that day, gone up the winding alley to that shabby Korean-style house with the shaded room beside the front gate, the tiny yard plastered over with cement, the blue plastic flowerpots with the rustic-looking rhododendrons, and the reconstituted-rubber washbasin lying abandoned, I might not have been able to dispel the awkwardness between Kang and me. The two of us could no longer talk about Yun-sŏk, or about Kwŏn's imprisonment, his torture, the years lost from his prime. I wondered if I was overreacting. In any event, sitting out in the open in this cafe, facing this man in the gossamer-silk jacket the color of mung beans, I found myself not wanting to talk of such things.

He checked his watch, rose, and paid for the coffee. I stole a look at his wallet and saw several bank

아까 오전에 전화했더니 취재 갔다고 하더구나. 바쁘니?

강 선배는 나의 침묵이 조금 거북해졌는지 한참 만에 입을 열었다.

으응…… 마감이니까요.

나는 물만 마시며 그를 어색하게 바라보았다. 이 어색함. 오랜만에 만난 반가움이 아직도 자리를 잡지 못하고, 오 년 전에 있었던 우리 사이의 반가움이 구석진 곳으로만 찾아드는 것 같은 어색함…… 그러니 꼭 죽음이 아니라 해도 사실 이런 만남이 이별은 아닐까.

급하게 취재 갔었어. 이민자라는 사람의 집에. 이번에 책을 냈는데…….

아아, 이민자.

강 선배가 입을 열었다. 그가 이민자를 알다니, 뜻밖이었다. 데스크가 그녀의 책이 그토록 베스트셀러라는 칭찬을 한 것이 조금 이해가 갔다.

이번에 아버지가 그 여자 그림을 한 점 샀어. 알고 보니 우리 집안하고 먼 일가야.

그래애…….

그와 나는 이민자를 안다는 공통점을 겨우 발견하고 서

notes sticking out. Would he remember the autumn day I had offered him my pay, feeling that even if I gave it all to him I could never cleanse myself of the guilt I felt for running away from them? If not, did he occasionally think about the day he had visited Yun-sŏk's grave by himself and then sobbed to me over the phone? I considered this briefly, then produced a smile and offered my hand. He shook it tentatively.

I saw him off at the parking lot and then, while waiting for the elevator to take me back to the office on the seventh floor, I tried to imagine his wedding ceremony. There would be a revolving ice sculpture, a cake would be cut, and comrades from the old days would gather. Many people would attend. The *sŏnbae* who owned a computer company, the classmates who had full-time teaching positions, the girlfriends who had married and produced two babies apiece... But there were others who would not attend. The *hubae* who was still a fugitive, the *sŏnbae* who was still in jail, and the friends who had died long, long ago...

"Can we ever escape the 1980s?"

Once, when several of us were having drinks, someone had asked this.

로 눈이 마주치자 웃었다.

취재 잘 하고……?

그저.

내 마누라 될 사람이 그 여자 명상법 사다 놓고 요즘 연습한대. 좋다고 읽어 보라고 나한테도 한 권 줬는데 아직 못 읽었다. 바빠서 통 책을 읽을 시간이 나야 말이지.

그도 모처럼 나온, 이 어색한 분위기를 무마시켜 주는 이민자의 이야기를 놓치지 않겠다는 듯이 서둘러 이야기를 이어 나갔다.

만나 보니까 어때?

……글쎄, 뭐랄까, 독특했어.

독특해? 어떤 점이?

그 집엔 강아지가 있었거든…… 그 강아지는 하루 종일 연못가에 놓인 돌에 코를 박고 가만히 앉아 있어. 내가 강아지가 왜 저러느냐고 물었더니 이민자 화백이 대답하데. 강아지요? 아아…… 강아지는 명상을 하는 중이에요. 재미있기에 내가 물었지. 무슨 명상이요? 그러자 그녀가 대답했어. 글쎄요. 이런 거겠죠. 물속에 고기가 있네…….

그가 식어 버린 커피 잔을 들다 말고 푸우, 하고 웃었다. 나도 따라 웃었다. 나는 감사했다. 오늘 만일 권오규

"If we haven't, then it's too late now," another answered.

But then another friend, who because of his criminal record had given up hopes of hiring on at one of the big conglomerates and now worked for a small computer firm, spoke up: "Well, I haven't. Maybe all of you escaped, but not me. I couldn't."

All of us were very drunk and we had broken up the party at that point. Would those friends of mine attend Kang's wedding as well?

I kept waiting for the elevator and finally I took the stairs. As I slowly climbed the dimly lighted steps I thought of Kwŏn O-gyu's book *Human Decency*, the negatives the photographer had given me, and the names of the man who had been executed and the man who had been tortured to death—the only notes I had taken at the interview. And I thought of people such as Yun-sŏk, who couldn't be interviewed, who had died such a senseless death.

Why had I gone to see Yi Min-ja? Why had I accepted so readily an assignment I really didn't care for—accepted it and then thought it fine to write about Kwŏn's book for the following month?

의 집에 갔었더라면 삼양동에, 골목길이 구불구불한 그 허름한 한옥의 그 그늘진 문간방에, 시멘트로 발라진 서너 평짜리 마당이 있고 그 마당엔 파란 비닐 화분에 담겨진 촌스러운 철쭉이 있고 재생고무로 만든 대야가 널브러진 그 집에 갔었더라면 강 선배와의 어색함을 풀 수가 없었을지도 몰랐다. 그렇다고 이제 와서 그와 둘이 앉아서 이미 죽어 버린 윤석이라거나, 권오규의 투옥과 고문과 청춘에 관해서 이야기할 수는 없었다. 아니, 그건 나의 지나친 비약일까. 그러나 그렇다 해도 카페의 한가운데 자리에서 녹두색의 하늘거리는 실크 잠바를 입은 그와 마주 앉아서, 이제 와서 나는 그런 이야기는 하고 싶지 않았다.

그는 시계를 보더니 일어서서 찻값을 지불했다. 언뜻 흘겨본 그의 지갑 속에는 몇 장의 파란 지폐가 삐죽이 고개를 내밀고 있었다. 나는 그가 혹시라도 내 월급봉투를 내밀었던 그날을, 그것을 다 준다 해도 그들을 도망쳐 나온 내 죄책감을 다 씻을 수 없을 것 같았던 그 가을날을 기억하고 있을까, 그도 아니면 윤석의 묘지에 홀로 다녀왔던 그리고 내게 전화를 걸어 울먹였던 그날들을 가끔은 생각하고 있을까, 잠시 생각했지만 곧 웃음을 띠고 그에게 악수를 청했다. 그가 약간 어색해하며 내 손을 잡았다.

It was a minor thing. In the end, wouldn't the world keep turning whether it was Kwŏn or Yi I wanted to run this month? Hadn't I escaped the 1980s, that decade to which I had consigned my twenties? The dead were dead, and those who had been released from jail were free. The readers of our magazine didn't care for that sort of story anymore. It was a hit song whose time had passed. And what did this mean for me?

I had seen Kwŏn's name in a pamphlet mimeographed by some of my *sŏnbae*. While underlining and taking notes we had criticized the blind spots and mistakes of their movement, as well as Kwŏn's anarchistic ideas. The 1970s innocence of the dozens in that secret society who thought they could bring down a dictatorship! He was an influence on me, but that was all. Even when many others were locked up and then died, all he did was sit in his cell. It was not because of him that the Park Chung Hee regime collapsed, or that Chun Doo Hwan was banished in disgrace to Paektam Monastery, or that an age of civilian government arrived. What, actually, was his influence on those of us who had used up our twenties during the 1980s?

주차장까지 그를 배웅하고 다시 칠 층에 있는 사무실로 올라가기 위해 엘리베이터를 기다리면서 나는 그의 결혼식을 상상해 보았다. 케이크가 잘라지고 얼음으로 만든 조각이 빙글빙글 돌아가는 그곳, 그곳에 모일 우리의 옛 동료들을 말이다. 아마도 많은 사람들이 올 것이다. 컴퓨터 회사의 사장이 된 선배, 전임 자리를 얻은 동기생들, 시집을 가서 애기를 둘씩이나 낳은 친구들…… 하지만 오지 않는 사람들도 있을 것이다. 아직도 수배 중인 후배와 아직도 감옥에 있는 선배와 그리고 버얼써 죽어 버린 친구들…….

한 친구가 술자리에서 그렇게 물었다.

우리들은 말이야. 우리들은 저 팔십 년대를 결국에라도 말이야, 벗어날 수 있을까.

그러자 다른 친구가 말했다.

벗어나지 못하면 어쩔 거야. 이제사…….

그러자 어떤 친구가, 전과자라는 낙인 때문에 대기업을 포기하고 지금은 작은 컴퓨터 회사에 다니는 어떤 친구가 머리칼을 비비다가 말했다.

……나는 아냐, 니들 다 그래도 나는 아냐…… 왜냐하면 나는 아니니까…….

Yun-sŏk hadn't been careful. He had set himself on fire for the sake of a 700-*wŏn*-a-day wage hike. Why had he forgotten how volatile paint thinner was? The company hadn't given the raise. The owner had survived, and Yun-sŏk had died. His mother probably still works at the factory cafeteria... And while I designed my budget books I would pause for a moment, stare into space, and mumble, "Idiot. Idiot." That's the only influence *he* had on me.

But now, in the 1990s, this decade of great ambition, it's possible for Yi Min-ja to be different. At the very least, she can tell me about meditation techniques. She can speak proudly and serenely to all those who are lonely, who can't sleep, who feel alone and sad: "Just remember, the fact that we're alive in this universe makes us valuable." And so if along with her we drink that tea with the uncommon fragrance, we can find the courage to say, "Yes, I can get along well enough by myself." And wasn't it really to find that courage that I had visited her?

Is there nothing to grab onto when we feel so hollow? When we no longer sing songs of the movement, even when we're drinking together? When we

우리들은 몹시 취해서 그 자리를 파했다. 그 친구들도 강 선배의 결혼식에 올까?

엘리베이터는 좀처럼 내려오지 않았다. 나는 생각을 바꾸어 계단 쪽을 택했다. 어둑어둑한 비상구 계단을 천천히 올라가면서 권오규 선생의 『인간에 대한 예의』라는 책과 사진기자가 건네준 그의 네거필름과 처형 당한 사람과 고문 후유증으로 옥사한 사람의 이름만 달랑 적힌 취재 메모들을 떠올렸다. 그리고 취재조차 할 수 없는, 바보같이 죽어 버린 윤석과, 그런 사람들…….

나는 왜 이민자에게 갔었나? 전혀 좋아하지 않는 데스크의 청탁을 왜 그렇게 쉽게 받아들였을까. 받아들여서 권오규란 사람의 책을 다음 달에 소개해도 좋다고 나는 왜 생각하나. ……그건 작은 일이니까. 내가 권오규 선생을 이번 호에 싣든 이민자를 이번 호에 싣든 세상은 어쨌든 그렇고 그렇게 돌아갈 테니까? 나는 벌써 팔십 년대를, 내 이십대가 고스란히 놓여 있는 그 팔십 년대를 벗어난 걸까. 죽은 사람은 죽은 사람이고 감옥에서 풀려난 사람들은 풀려난 사람들이고…… 잡지를 읽는 사람들은 이제 더 이상 그런 이야기는 좋아하지 않으니까. 그건 이젠 철

no longer talk about the strikes at Inch'ŏn, Pup'yŏng, Ulsan? When we're no longer interested in who is a fugitive and who is still in jail, enduring the chill of a cold spring day? When someone says, "Movement? You're still talking about that?" and bursts into laughter? When we speak not of what is right and wrong but of what we like and dislike? When a married critic impregnates one of the women who works at his publishing company, when an author who has sent out wedding invitations brags that he's slept with twenty different bargirls? When a man declares in all sincerity that it's because the Eastern bloc collapsed that he inflicted emotional scars on a woman? For heaven's sake, please give me something to grab onto... Was it these feelings I harbored when I visited Yi Min-ja? Tell me.

If someone had said to me, "Because you ran away from the group, you have nothing to say," then perhaps I would have said nothing. And if someone had called me a coward for running scared, I would honestly have been willing to apologize for my cowardice. Still, though, I was a child of the 1980s. How single-minded we children of the 1980s were to believe that right would triumph whatever the circumstances; how firmly we grew up

지난 유행가니까. 그래서?

나는 권오규란 사람의 이름을 선배들이 등사한 팸플릿에서 보았다. 줄을 치고 필기를 하면서 그들의 운동의 허점과 오류와 그 아나키스트적인 발상을 비판했다. 대체 몇십 명의 비밀결사가 독재정권을 무너뜨릴 수 있다고 생각한 칠십 년대적 순진함이여…… 그가 내게 미친 영향은 고작 그것뿐이었다. 그는 다른 사람들이 무수히 투옥되고 죽어 가고 하던 때에도 그저 감옥에 앉아 있었을 뿐이다. 그 때문에 박 정권이 무너지지도 않았고, 그 때문에 전두환 씨가 백담사로 간 것도 아니고, 그 때문에 문민정부 시대가 온 것도 아니었다. 그는 팔십 년대에 고스란히 이십 대를 보낸 우리들에게 대체 무슨 영향을 끼쳤단 말인가…….

윤석은 신중하지 못했다. 그는 일당 칠백 원을 올리기 위해 제 몸에 불을 지르는 짓을 저질러 버렸다. 신나가 휘발성이 있다는 걸 왜 잊어버렸단 말인가. 그러고도 그 회사의 일당은 오르지 않았다. 사장은 살아났고 그는 죽었다. 그의 어머니는 아직도 공장의 식당에 나가실 것이다. 그리고 나는 가계부를 만들면서 잠시 손을 놓고 멍하게 앉아서 바보 같은 것, 바보 같은 것 중얼거렸다. 그가 끼

believing that justice would win out in the end. We saw *sŏnbae* forced into military service for printing Lukacs in the school magazine, we saw friends taken into custody for reporting campus demonstrations in the school newspaper, and we held fast to the conviction that if one of us fought for a minor victory for justice, then those who came later could fight for a slightly greater victory, and we learned to believe that our sacrifices were never in vain. Now that the Eastern bloc is history, are sighs, resignation, anti dissipation all that remain in our minds? Tell me.

I thought of Kwŏn O-gyu, sitting in jail for twenty years. I thought of Yi Min-ja, leaving with a shabby suitcase to study art in New York. Kwŏn, arrested when his secret society was forming. Yi, painting in New York. Kwŏn, sitting in jail. Yi, wandering barefoot in India. Kwŏn, taking seven paces in his cell, turning around, taking seven more paces. Yi, on safari in Africa, snow-covered Mt. Kilimanjaro visible, suddenly asking herself, "What does it all mean?" Kwŏn, still sitting in jail, sitting for an insufferable twenty years, just sitting, enduring, waiting. Kang, running with a Molotov cocktail, me following along, blowing my nose in a tissue. Yun-sŏk,

친 영향은 고작 그것이었다…….

하지만 이제, 이 대망의 구십 년대에 이민자는 다를 수 있다. 그녀는 적어도 내게 명상하는 방법을 일러 줄 수 있다. 모든 외로운 사람들, 잠 못 드는 사람들, 혼자라는 생각에 슬퍼하는 사람들에게, 아니에요, 우리가 살아 있다는 것만 해도, 이 우주 속에 살아 있다는 것만으로도 우리는 충분한 가치를 지니고 있습니다, 라고 당당하게 담담하게 말해 줄 수 있다. 그래서 그녀와 희귀한 냄새가 나는 차를 마시노라면, 그래, 혼자서라도 잘 살아 보는 거야 하는 용기를 얻을 수도 있다. 그래서 용기를 얻으려, 정말 그 용기를 얻으려 나는 이민자에게 갔었나?

무언가 잡을 것이 없을까, 이렇게 허허로운 때에. 술자리에서조차 운동가요는 더 이상 부르지 않는 이때에, 요즘 인천하고 부평하고 울산에서는 말이야, 라고 더 이상 말하지 않는 이때에, 누가 수배를 당했는지, 누가 아직 감옥에 남아서 이 차가운 봄날의 냉기를 견디고 있는지 관심이 없는 이때에, 운동? 너 아직도 그런 거 이야기하니, 하고 말하면 웃음보가 터지는 이즈음에.…… 무엇이 옳고 무엇이 그른가가 아니라 무엇이 좋고 무엇이 싫은가에 대해서만 이야기하는 이때에.…… 아내 있는 평론가가 출판

dying for the sake of a 700-*wŏn* pay hike. Me, hating it and running away. Kang, sitting out in the open in the cafe. Yun-sŏk, turned to dust. Me, drinking in the daytime; me, one big mess. But today it's windy. The photographer said it's been two years since Kang Kyŏng-dae's death. And then this other Kang looks me up and offers me an invitation to his wedding—why today? The wind is up—why today? "Damn," I mutter to myself like the photographer had done on our way back to the office. "Who cares about the deadline?"

Once I saw a movie on "Weekend Masterpiece Theater." I can't remember the name or the actors. It's World War Two and a team of five special agents leave to blow up a Nazi dam. Young men carrying dynamite in one hand and holding a photo of their mother in the other. Going to their deaths. Blowing up their destiny along with the enemy dam. "If we think of our duty first," says their sergeant, "what's there to fear in death?" In fact, though, the young men don't want to die. Still, they go beneath the dam and detonate the dynamite. They all fall to the ground. Those poor men, I thought, imagining the magnificent scene that

사 여직원에게 임신을 시키고, 결혼식 청첩장을 돌리던 작가가 술집 여자 스무 명과 번갈아 잠을 잔 걸 자랑하고…… 누가 누군가에게 치명적인 상처를 입히고 입으며, 사실은 그건 동구권이 무너졌기 때문이었어, 라고 너무나 진지하게 대꾸하는 이때에 제발이지…… 라는 마음 하나 품고 나는 이민자에게 갔었는가. 그런가?

너는 도망친 사람이니 입을 다물라고 누군가가 말한다면 나도 입을 다물지 모르지만, 무서워서 도망친 비겁자라고 욕한다면 진심으로 그들에게 나의 비겁함에 대해 사죄할 용의도 있지만, 그렇다고 해도 나 역시 팔십년대의 아들이며 딸이었다. 팔십 년대의 아들이며 딸들은, 어떤 상황이라 하더라도 옳으면 승리한다는, 아아, 너무도 단순했지만 너무도 굳게, 결국은 정의가 승리한다는 믿음을 먹고 자란 사람들이었다. ……루카치를 교지에 실었다는 이유로 강제징집을 당하는 선배를 보면서, 학내 시위 사실을 학교 신문에 실었다는 이유만으로 구속된 친구를 보면서, 누군가 작은 정의를 위해 싸우고 나면 뒤에 오는 이들은 좀 더 큰 정의를 위해 싸울 수 있다는 신념, 우리들의 희생은 결코 헛되지 않을 거라는 신념을 배웠던 사람들이다. 그랬던 우리들의 마음속에서 동구권을 빼고 나면

would follow—the dam collapsing, the water gushing out, the men swept away. But no, the movie didn't end like that. A few moments later the young men regained consciousness beneath the dam. They had only fainted. The sergeant saw them revive, and laughed.

"Stupid sons of bitches—do you know how many sticks of dynamite it takes to blow up a dam this big? Right now, water is seeping through the holes we made, and the dam is going to collapse from the force of that water. Come on, get up! Let's get out of here."

The *soju* from lunch finally hit me. My face was hot and the steps grew blurred. I paused at the landing and propped myself up on the railing like a worn-out old lady. Well, I guess I had better talk one last rime about that radish shoot. What I said earlier about leaving Yi Min-ja's log house and feeling a sorrow like a young radish—it was a lie. Sorrow is sorrow, a radish shoot is a radish shoot, and there was never any comparison between them. I knew from the outset that I could never feel as much affection for Yi as I did for Kwŏn. It's true that she was more attractive and provided me with

정말 한숨과 체념과 방탕과 그런 것들만 남았던 것인가? 그런가…….

감옥에서 이십 년 동안 그저 앉아 있던 권오규의 모습이 떠올랐다. 가난한 가방을 달랑 들고 그림 공부를 하러 뉴욕으로 떠나는 이민자의 모습도 보였다. 비밀결사를 다 결성하기도 전에 체포되는 권오규. 그 무렵 뉴욕에서 그림을 그리는 이민자. 감옥에 앉아 있는 권오규. 인도를 맨발로 방랑하는 이민자. 감옥에서 일곱 걸음 걷다가 뒤돌아서서 다시 일곱 걸음 걷는 권오규. 아프리카의 눈 덮인 킬리만자로가 보이는 사파리에서 불현듯 '그 무엇인가' 깨닫는 이민자. 그래도 감옥에 앉아 있는 권오규. 지겹도록 이십 년 동안 앉아만 있는 권오규. 무엇을 견디려고, 무엇을 기다리려고 그저 앉아 있는 권오규. 화염병을 들고 뛰던 강 선배, 휴지 뭉치를 들고 코를 풀며 따라가던 나. 일당 칠백 원을 올리려다가 죽어 버린 윤석이. 그저 싫어서 도망치던 나. 카페의 한가운데 앉아 있던 강 선배, 흙이 된 윤석이와 낮술, 엉망진창인 나. ……그런데 오늘은 바람이 분다. 사진기자는 강경대가 맞아 죽은 지 이 주년이 되는 날이라고 말했다. 하필이면 오늘 강 선배는 나를 찾

a more interesting time, and that Kwŏn's brother was tedious and Kwŏn himself talked only in hackneyed phrases about what I already knew. I'm sorry to say, I had to reflect on the lives the two brothers had led. I thought of them using up their twenties, as I had used up my twenties in the 1980s. Just as I think I can detect an odor from the period of my approaching thirties, I couldn't help associating the Kwŏns with our political history, which stank of filth at the time of their thirties and forties. And so now, one last time, I should talk about that radish shoot. This is the truth. This morning I gathered the leaves from my tea and sprinkled them around the radish, then covered them with more dirt. That earth is so sterile, I thought even the tea leaves might make a difference. I prayed. I hoped the weather would turn sultry, that the tea leaves would quickly turn to compost. And at the same time, I looked up to a spring sky that was still cold. If they don't decompose, then they won't do anything for the radish and there can be no fresh green shoot. It was only then that I found the words with which to begin my article on Kwŏn O-gyu:

"Here is a man who in his response to our times, our history, and our very humanity has never lost

아와 청첩장을 내밀고 하필이면 오늘 바람이 분다. 나는 사진기자의 말대로 조그맣게 입술을 오므리고 혼자 중얼거려 보았다.

젠장할…… 마감인데 어쩌란 말이야…….

영화를 본 일이 있었다. 주말의 명화 시간에. 지금은 제목도, 출연한 배우도 떠오르지 않는 영화. ……2차대전 중, 다섯 명의 특수 요원들이 나치의 댐을 폭파하러 떠난다. 다이너마이트를 한 손에 쥐고 다른 손에는 어머니의 사진을 쥔 젊은이들. 그들은 죽으러 가는 것이었다. 적의 댐과 자신들의 운명을 같이 파괴하러…… 상사는 말한다. 우리의 임무를 생각하면 죽음이 무슨 두려움이랴. 사실은 그 상사를 뺀 나머지 젊은이들은 꼭 죽고 싶지는 않았다. 그러나 그들은 댐 속에 들어가서 다이너마이트를 폭파시킨다. 그러고 쓰러진다. 나는 그들의 죽음에 애도를 보낼 마음을 가지기 시작했다. 어서 댐이 무너지고 물줄기가 솟구쳐 내리고, 그들 역시 그 물줄기에 휩쓸리는 그 장엄한 광경이 펼쳐지기만 한다면…… 그런데 영화는 거기서 끝난 것이 아니었다. 잠시 후, 그들 젊은이들은 댐 속에서 깨어난다. 그들은 기절했을 뿐이었다. 그들이 깨어나는

his sense of decency."

I slowly maneuvered my tipsy body up the steps until I saw the number seven. The distant outline of my yawning editor came into sight and I set off toward him.

Translated by Bruce and Ju-chan Fulton

것을 지켜보던 상사가 웃는다.

망할 자식들, 이 거대한 댐이 다이너마이트 몇 개로 폭파될 줄 알았던 거냐? 이제 우리가 구멍 낸 자리에 물이 스며들고…… 그리고 댐은 바로 그 구멍 난 틈으로 스며드는 이 강의 물줄기가 무너뜨리는 거야. 자, 얼른 일어나! 여기를 빠져나가자.

아까 마신 소주의 취기가 그제야 뭉게뭉게 올라왔다. 얼굴이 화끈거리면서 계단이 아물아물거렸다. 나는 잠시 난간에 두 손을 짚고 너무 늙어 버린 노인처럼 잠시 서 있었다. 그러니 이제 마지막으로 열무 싹 이야기를 좀 더 해야겠다. 이민자의 통나무집을 나서면서 내가 느꼈다는 열무 싹 같은 슬픔이라는 것은 사실은 거짓말이었다. 슬픈 거면 슬픈 거고 열무 싹이면 싹이지 열무 싹 같은 슬픔 같은 건 애초부터 없었다는 말이다. 나는 이민자를 결코 권오규만큼 사랑할 수 없다는 걸 처음부터 알고 있었다. 그녀가 사실은 더 매력 있고 더 재미있는 시간을 내게 내 주었지만, 권오규의 동생은 지루했고, 권오규는 내가 다 이미 알고 있다는 생각하는 고리타분한 이야기만 한 것도 사실이었지만 나는, 미안하다, 나는 그들의 지나온 삶을 생각할 수밖에 없었다. 내가 팔십 년대에 이십 대를 고스란히 보냈듯 그들이 보냈던 이십 대를 생각했던 것이다. 그리고 앞으로 내 사십 대가 다가오듯이 그들의 삼십 대와 그들의 삼십 대를 시궁창 냄새가 풍겨오는 듯한 우리의 정치사와 함께 생각할 수밖에 없었다. 그러니 마지막으로 이제 정말 열무 싹 이야기를 하기로 하겠다. 이건 정말인데, 나는 오늘 아침에 먹다 남은 차 찌꺼기 모은 것을 그 열무 싹이 뿌리 내린 흙에 뿌려 주고 그것을 다른 흙으로 덮었다. 땅이 너무 척박해서 그것이라도 비료를 주어야겠기에…… 나는 빌었다. 날씨가 더 무더워져서 이 차 찌꺼기들이 빨리 썩기를, 썩어문드러져서 거름이 되기를…… 나는 그걸 바라면서 아직 차가운 봄 하늘을 올려다보았다. 그들이 썩지 않으면 그들은 열무 싹과 아무 상관이 없을 테니까, 파릇파릇한 어떤 싹도 틔울 수 없을 테니까…… 그저 막막하기만 하던 권오규의 기사 첫머리가 그제야 내 머리에 떠올랐다.

여기, 시대와 역사와 인간에 대한 예의를 지켰던 한 사람이 있다.

나는 천천히, 낮술에 취하는 몸을 조심스럽게 가누며 칠 층이라는 안내판이 붙은 계단으로 올라섰다. 멀리 데스크가 하품하는 모습이 보였고, 나는 그를 향해 걷기 시작했다.

『인간에 대한 예의』, 창비, 2006(1993)

해설

Afterword

미완의 구원을 위하여

양윤의(문학평론가)

공지영은 상처투성이 인간이 어떻게 행복해질 수 있는가를 오랫동안 탐색해 온 작가다. 상처를 돌보는 것만으로 인간은 행복해질 수 없다. 작가는 아름다웠던 한 시절의 추억으로 지금을 견디려 하지 않고, 그 시절이 사라져 버렸다는 사실을 인정함으로써 지금을 시작한다. 환멸의 경험은 상처를 가리거나 덮는 게 아니라 헤집는 경험이다. 그런데 상처는 타인과의 접촉면이기도 하다. 누군가를 만난다는 것은 상처 받을 가능성을 수락한다는 것이다. 우리는 '상처 받을 수 있음'을 포기해서는 안 된다. 그것이 환멸에 이를지라도, 우리는 그것을 통해서만 공동체에 도달할 수 있다. 공지영의 소설은 나와 타인이 이루는

For the Salvation of the Incomplete

Yang Yun-eui (literary critic)

Gong Ji-young is a writer who has long been searching for a way to restore happiness to the wounded. Simply tending to their wounds may not be sufficient. Gong refuses to endure the here and now by reminiscing about the good old days. Instead, she begins to live in the present by admitting that the good old days are gone. The experience of disillusionment reopens old wounds. Yet a wound is also a space of contact with others; hence, meeting someone means accepting the possibility of getting hurt. We may become disillusioned or hurt all over again; nevertheless, it is the only path by which we can achieve community. Gong's works are

작은 공동체, 즉 '우리들'의 이야기이다. 공지영의 소설이 말하는 '인간'은 늘 복수(複數)이다. 종교적 초월성이나 이념적 도그마를 거절하면서, 병든 인간이 어떻게 행복에 이를 수 있는지를 부단히 고민하는 공지영의 문제의식은 그의 소설이 갖는 현재적 의미를 짚는 데 중요한 참조점이 된다.

> "구원으로 가는 길은 우리에게 꼭 하나가 아니어도 좋잖아?" (30쪽)

여기, 구원을 향해 가는 두 갈래의 길이 있다. '명상가'와 '장기수'의 길이 그것이다. 명상가(이민자)의 삶은 시대의 중력에서 자유로운(그래서 고독한) 개인의 삶을 보여준다. 그의 삶은 "어떤 용감무쌍한 자유인에 대한 동경 같은 것"을 실현하는 삶이다. 그와는 달리, 장기수(권오규)에게는 자신의 신념을 목숨 걸고 지켜 낸 숭고함이 있다. 그는 이십 대에 무기징역을 선고 받고 오십 세가 넘어 자유의 몸이 되었다. 그가 출옥 후 감옥에서 쓴 편지들을 묶어 출간하게 되는데, 『인간에 대한 예의』가 바로 그것이다. 문제는 1990년대를 지나며 강제적인 억압이 사라지

stories of small communities composed of the self and others, that is, stories of ourselves as a community. Therefore Gong always talks about people, not individuals. Refusing to resort to religious transcendence or ideological dogma, she constantly searches for other ways to help suffering humanity attain happiness. Therefore, examining Gong's critical perspective provides a good reference point that can help us understand the significance of her work for our era.

> "... There's more than one road to salvation, you know. Not like in the past." (31)

Here there are two paths leading to salvation: that of a meditator and that of a long-term prison inmate. The life of the meditator (Yi Min-ja) is free from the weight of her era; she is a free, and therefore lonely, individual. Her life is aimed at realizing "her aspiration to be a courageous, free person." Unlike the meditator, the prison inmate (Kwŏn O-gyu) risks his life to keep his beliefs intact, which gives him an air of nobility. He is given a life sentence in his twenties and released when he is over fifty. After his release, he compiles the letters he

자, 그가 지켜야 할 신념도 더불어 힘을 잃었다는 데 있다. 일상으로 돌아온 장기수는 “몸속에 들어와 버린 그 벽”을 조금씩 허물면서 무의미한 일상에 적응하려고 노력한다. 그는 자유를 얻었지만, 그것은 무관심의 다른 이름이었다. 그 점에서 그는 또 다른 의미의 감옥에 갇혔다. 이념과 가치가 붕괴되고 나자 장기수는 상징적인 죽음을 맞았다. 주변의 차가운 시선에 갇히고 생활고에 시달리는 장기수의 삶은 탈옥이나 출소가 불가능한 또 다른 벽이 되고 말았다. 이 소설은 표면적으로 '명상가냐 장기수냐'라는 양자택일의 갈등이 중심축을 이룬 듯 보인다. 그러나 작가의 시선은 마지막까지 장기수의 편에 가 있다. 신념이 있었던 삶이 벽에 부딪힌 것과 원래 벽이 없었던 것을 자유라고 말하는 것은 다르기 때문이다. 취향은 양보할 수 있지만 가치관의 문제는 양보할 수 없는 것이다. 명상가의 삶은 신념에서 놓여났을 때의 가능성일 뿐이다.

공지영의 설명에 따르면, 1990년대는 이렇게 출발한다. 구원을 향해 난 좁은 문은 닫혀 버렸다. 거기에 이르는 길은 여러 갈래로 갈라졌다. 명상가는 요가와 명상에서 개별자의 자유를 실천하는 삶을 찾은 것처럼 보인다. 하지만 그에게는 본연의 신념이 없었다. 그는 '놓여남'을 자신

wrote in prison and publishes them under the title "Human Decency". The problem begins when the courage of his convictions fades as the coercive and oppressive state measures are lifted through the 1990s. The former prisoner tries to adapt to the meaningless routines of everyday life by dismantling, little by little, "that wall is still part of him." Now he has his freedom back, but he realizes that freedom is just another name for indifference. In a sense, he is an inmate in another prison called indifference. When the wall within him finally collapses, he experiences a symbolic death. Incarcerated by the cold gaze of those around him, the life of this former prisoner, who now struggles to feed himself, is nothing but another prison from which he can never be released or escape. On the surface, this novel seems to deal with the dilemma of choosing between being a "meditator" or a "prisoner." However, the author's focus remains on the "prisoner" until the end. The prisoner's life of belief that ends up facing another barrier—a wall of indifference—outside prison is one thing; having no wall at all and calling it freedom is quite another. If it were just a matter of preference, you could choose either path. However, when it comes to values, these

의 주체적이 선택이라 믿었을 뿐이다. 반면 '투옥'과 '고문'의 시대를 견딘 장기수는 자신의 진정한 자유를 지켰다. 그는 공동체적 이념 안에서 안식처를 찾았으며 그것을 그 자신의 정체성으로 삼았다. 공지영은 구원에 이르는 길이 다양하다고 강조하면서도, "무엇이 옳고 무엇이 그른가가 아니라 무엇이 좋고 무엇이 싫은가에 대해서만 이야기하는" 세대를 비판한다. 공동체에서 벗어나서 행복을 찾은 명상가보다는 공동체에 속박되어 불행한 장기수의 삶이, 작가에게는 더 소중한 듯하다. 왜냐하면 '더불어 사는 삶'은 공동체에만 있고 공동체를 소거한 개인에게는 없기 때문이다. 개인을 소거한 공동체는 힘을 잃고 있지만, 공동체 없는 개인에게는 어떠한 비전도 없다.

공지영이 1990년대에 발표한 작품 속에는 공동체와 개인이 배타적으로 공존하면서 수많은 대립항을 낳는다. 이념과 자유, 과거와 현재, 정신과 물질, 당위와 욕망, 여성과 남성 등이 그러한데, 이러한 모순 관계에 대한 고민은 공지영 소설의 중핵을 이룬다. 작가는 이런 딜레마를 끝까지 밀고 나간다. 여기에는 섣부른 화해나 봉합 대신, 끝끝내 갈등하고 불화하는 날것으로서의 삶이 있다. 그것은 비유컨대 두 개의 중력과 같은 것이어서, 분열적 체계를

paths are not equal. The life of the meditator is an option only available to those who have freed themselves from their convictions.

According to Gong Ji-young, the 1990s began in the following way: the narrow door leading to salvation was closed, and many other pathways sprung up that were supposed to lead there. The meditator seems to have found in yoga and meditation the life of a free agent. However, she had no convictions to begin with. She simply believes that "being free" is a choice made by her free will. By contrast, the prisoner who survived the era of imprisonment and torture still retains his free will—free will in the true sense of the term. He finds a shelter within the beliefs of the community and chooses to accept it as his own identity. While emphasizing that there are many paths to salvation, Gong criticizes, through the story, an era in which people only talk about "what they like and what they dislike, instead of what is right and what is wrong." It seems that Gong values the life of the unhappy prisoner of the community more than the life of the meditator who finds happiness outside the community. The "collective life" does not exist for those individuals who remain outside the community. The community that

만들어 낸다.

믿음이 '되고' 희망이 '되는' 소설이 현실 그 자체는 아니다. 공지영이 말하는 것처럼 현실은 상처투성이다. 믿음과 희망으로 포장한다고 해서 상처가 치유되지는 않는다. 공지영의 소설은 믿음이 무너지고 희망이 사라진 그 다음을 바란다. 그럼에도 불구하고 소설이 기댈 곳은 그 무너진 공동체의 앙상한 토대다. 명상가와 장기수가 서로 다른 방향에서 개인과 공동체의 믿음을 끝내 유지한 것처럼. 타인에 대한 사랑 이외에 이념이나 종교의 어떤 전거를 요구하지 않는다는 점에서 그것은 덧없는 휴머니즘이기도 하다. 하지만 그것은 삶의 불완전함에 속수무책일 수밖에 없는 나약한 인간이 보여 주는 소중한 힘이기도 하다. 아픔이 견딤으로, 견딤이 사랑으로 전이되어서 사랑이 용기라는 것을 보여 주는 순간, 비로소 작가는 통속(通俗)한다. "우리 자신의 나약함으로부터 우리의 덧없는 행복은 생겨난다"는 루소의 말처럼, '우리가' 그 균열을 인식하는 한, 구원은 무력하고 덧없는 방식으로 오고, 귀향은 언제나 미완으로 끝날 수밖에 없다.

eliminates individuals loses its power, but individuals outside the community possess no vision at all.

Gong's works published in the 1990s deal with various conflicts between the mutually exclusive forces of the community and the individual: ideology vs. freedom, past vs. present, mental vs. material, obligation vs. desire, women vs. men, etc. Agonizing over these paradoxical coexistences seems to be at the core of her fiction. She pushes the dilemma through to the end. Instead of a hasty reconciliation or melding of two opposites, Gong chooses the life of never-ending conflict and discord. These polarities are like two different gravitational fields, creating a system of disunion.

Novels that disseminate faith and hope do not represent reality. As Gong argues, reality is covered with countless wounds. Swathing them with faith and hope will not cure them. Gong's works aim to deal with what comes after faith collapses and hope disappears. Aside from that aim, the only buttress that fiction can lean on is the bare foundation of the collapsed community, as the meditator and prisoner maintain their faith in the individual and in the community, respectively. Their tenacious faith could be viewed as a frail humanism that, except for the love for others, does not require any authority, whether ideology or religion. However, it could also be understood as a valuable life force exercised by human beings who are completely vulnerable to the incompleteness of life. Only when pain becomes endurance and endurance becomes love and love becomes courage can writers discover new ways of communicating with others. Jean Jacques Rousseau said, "Our ephemeral happiness originates from our frailty." Likewise, as long as "we" recognize the conflict, salvation will come in a frail and ephemeral way, and our homecoming will be incomplete.

비평의 목소리
Critical Acclaim

후일담문학이란 무엇인가. 이 물음은 우리 최근세사와 긴밀히 관련되어 있다. 유신세대가 있었다. 그때 많은 젊은이들이 감옥으로 끌려갔다. 광주세대가 있었다. 그때엔 더 많은 젊은이들이 기름병을 들고 거리를 뛰었다. 뿐만 아니라 몸에 불을 붙여 스스로 불타는 기둥이 되기도 했다. 이성의 힘으로 세상을 바람직한 방향으로 바꾸어야 하며 또 할 수 있다고 믿었던 세대들이었던 까닭에 그들은 아주 망설임이 없었다. 그러나 구소련이 무너지는 소리와 모양에서 그들의 신념은 흔들렸고, 망설임이 그들 주변을 알게 모르게 에워싸지 않았겠는가. 그들의 입에서 나온 것이 바로 '무엇을 할 것인가'였다. 이를 두고 후일담

What are "remembrance" stories? This question is closely related to the most recent history of Korea. There was the generation of the Yushin (revitalization or renovation) era. At the time, many young people were sent to jail. Then came the generation of the Kwangju pro-democracy movement. Larger numbers of youths ran through the streets holding gasoline-filled bottles in their hands. There were those who set themselves on fire and became burning pillars. They never hesitated since they realized they had to change the world into a more desirable place to live and they truly believed they could accomplish their objective. However, when they saw the collapse of

문학이라 부를 것이다.

김윤식

「인간에 대한 예의」에서, 작가는 좌절된 1980년대의 빛을, 역설적이게도 더 과거로 거슬러 올라가 이십여 년 옥살이를 마치고 막 출감한 장기수를 통해 아주 가느다란 불씨의 형태로 되살려 내고 있다. 소설 속에서 그것은 주인공의 집 앞마당에 핀 '열무 싹'의 비유를 통해 드러난다. (중략) '시대와 역사와 인간에 대한 예의'를, 그는 잠시 잊고 있다가 되찾았던 것이다. 이 '되찾음'의 크기에 대해서는 더 묻지 말아야 한다. 작가 역시 그것은 '열무 싹'만큼밖에 되지 않는다고 고백하고 있으므로.

한수영

공지영의 소설이 독자들의 사랑을 많이 받는 이유는, 현실을 외면하지 않고 정직하게 집요하리만큼 응시하고 있기 때문이다. 공지영은 소시민의 내면에 자리하고 있는 이른바 시민적 양심을 불러낸다. 혹 소시민이 자각하지 못한 우리 시대의 현실은 없는가, 혹 소시민이 일부러 외면하고자 했던 것들이 정작 우리의 삶과 밀접히 연관된

the U.S.S.R., their conviction began to waver and they soon found themselves overwhelmed by hesitation. The question they asked then was "What should we do now?" Remembrance stories began to appear in response to this question.

Kim Yun-shik

In "Human Decency" the author revives the great flame of the 1980s in the form of a tiny fire rekindled by a long-term prisoner who has just been released after serving a twenty-year sentence. In the story, this tiny fire is represented by the young radish sprouts in the front garden of the protagonist's house. (omission) This was a memory he had lost, and then regained. We must not ask the author how much memory has been regained, since she has already confessed that it is only the size of the young radish sprouts.

Han Su-yeong

The reason for Gong Ji-young's popularity is her refusal to ignore reality and her determination to stare at it honestly and tenaciously. Gong appeals to the civil conscience of the lower middle class. Isn't there an aspect of reality in our era that eludes the

것은 아닌가, 혹 소시민의 삶을 살더라도 시민적 양심을 폐기하지 않는 삶을 살아야 하지 않는가 하는 것 등은 공지영 소설의 또 다른 매력이 아닐 수 없다.

고명철

consciousness of the lower middle class? Isn't what the lower middle class has deliberately avoided indeed closely related to our life? Even while living a lower-middle-class life, shouldn't we at least keep our civil conscience intact? These questions are another appealing feature of Gong's stories.

Ko Myong-cheol

공지영

작가 공지영은 1963년 서울에서 태어나 연세대학교 영어영문학과를 졸업했다. 1988년 《창작과비평》 가을호에 단편 「동트는 새벽」을 발표하며 작품 활동을 시작했고, 21세기문학상과 한국소설문학상을 수상했다. 그녀는 시와 소설을 쓰면서 사춘기 시절을 보냈을 만큼 문학적으로 조숙했지만, 첫 소설을 세상에 발표하기까지의 과정은 그다지 순탄치 않았다. 대학 시절 학생운동을 하는 동료들 사이에서 글을 쓰는 일이란 "어설픈 양심"처럼 느껴졌기 때문이다. 그렇기에 공지영의 문학으로의 첫 걸음은 오히려 어린 시절의 "문학소녀적 환상을 박살내"면서 시작되었다고 해야 할지도 모른다. 대학 졸업 후에 '자유실천문인협의회' 및 출판사 등에서 잠시 근무하다가 들어간 대학원에서, 고전 텍스트 읽기와 현실 문제 사이에서 갈등한 이유도 이러한 데에서 연유한다. 동료들에 대한 동정적인 태도와 짧은 기간 뛰어든 노동 현장에서의 경험을 되새기며, 그리고 현실의 치열한 삶을 묘파한 작가 황석영과 박노해의 작품을 사숙하면서, 그녀는 비로소 전업 작가의

Gong Ji-young

Born in Seoul in 1963, Gong Ji-young graduated from Yonsei University, majoring in English literature. She made her literary debut by publishing a short story entitled "Dawn" in the fall issue of the quarterly *Changbi (Creation and Criticism)* in 1988. She is the recipient of the 21st Century Literary Award and the Hanguk Sosol (Korean Novel) Literary Award. She spent her teen years writing mostly poems and stories, but she did not publish her debut story until after some unexpected twists and turns. As she watched the dedication of her fellow student activists in the social movement, she was unsure about the value of her writing, for she felt writing was a clumsy act of "conscience." She feels that she could take her first step in writing only by "shattering the naïve fantasy that she had as a young girl with a literary interest." It was due to that same reason that she was wavering between reading classical texts in Korean literature and attending to the current events during her time in graduate school. She had entered the graduate

길로 발을 디딘다.

"우리가 싸운 것은 알량한 이데올로기 때문이 아니라, 이 시대와 구조가 안고 있는 모순 때문이었다. 이념은 수정되거나 혹은 사라지지만 보다 나은 인간들의 삶을 향한 인간들의 순수한 열정은 결코 사라지지 않는다. 애초부터 작가라는 것, 더 나아가 예술가라는 것은 바로 이런 부채를 제 등의 혹으로 짊어지고자 하는 사람들이 아니었던가."

자기 세대가 겪었을 현장의 경험을 형상화하는 데에 주력했던 초기 소설에서, 상처받은 영혼들이 함께 나눌 수 있는 아름다움에 주목하는 소설들로 차츰 방향을 옮기면서도 공지영의 소설에는 언제나 처음 먹은 이 마음이 배어 있다.

일상에서 작가의 삶을 사는 자신이 부끄럽지 않기 위해서 부단히 노력하는 그녀는 최근 불우한 사형수와 세 번이나 자신을 살해하려 했던 경험을 지닌 여인의 만남을 통해 "생명과 삶의 이유"를 그린 장편 『우리들의 행복한 시간』을 발표했다. 2011년 단편 「맨발로 글목을 돌다」로 이상문학상을 수상하였다.

school after briefly working at the Writers' Council for Freedom and Action and a few publishing companies. It is only through maintaining her sympathy for activist friends, remembering her experience as a factory worker, and modeling her work on those of Hwang Sok-yong and Pak No-hae that she could bring herself to attempt a literary debut. Like Hwang Sok-yong and Pak No-hae, Gong tried to passionately address to the problems of her contemporary reality.

"We fought not for the sake of silly ideology but because we wanted to change the contradictory social structure of our times. Ideology can change or disappear, but human beings' passion for a better life never does. Isn't a writer or artist someone who intends to take on such a passion as a burden on his back?"

The focus of Gong's work has been shifting over time, from the experience of the activists of her generation, to the beauty of life shared among wounded souls. Despite this shift, her novels consistently prove that she has never forgotten what she said in the above quote, a remark she made when she was a rookie.

Gong, who, in her everyday life, continuously strives to live a life that won't embarrass her as a writer, recently published a novel entitled *Our Time of Happiness*. In this novel she explores "the reason for life and living" through a story of a chance meeting between an unlucky condemned criminal and a woman who was a three-time victim of an attempted murder. She later won the 2011 Yi Sang Literary Award for her short story entitled "Turning the Corner of Writing Barefoot."

번역 **브루스 풀턴** Translated by Bruce Fulton,
주찬 풀턴 Translated by Ju-chan Fulton

브루스 풀턴, 주찬 풀턴은 함께 한국문학 작품을 다수 영역해서 영미권에 소개하고 있다. 『별사-한국 여성 소설가 단편집』 『여행자-한국 여성의 새로운 글쓰기』 『유형의 땅』(공역, Marshall R. Pihl), 최윤의 소설집 『저기 소리 없이 한 점 꽃잎이 지고』, 황순원의 소설집 『잃어버린 사람들』 『촛농 날개-악타 코리아나 한국 단편 선집』 외 다수의 작품을 번역하였다. 브루스 풀턴은 서울대학교 국어국문학과에서 박사 학위를 받고 캐나다의 브리티시컬럼비아 대학 민영빈 한국문학 및 문학 번역 교수로 재직하고 있다. 다수의 번역문학기금과 번역문학상 등을 수상한 바 있다.

Bruce and Ju-chan Fulton are the translators of several volumes of modern Korean fiction, including the award-winning women's anthologies *Words of Farewell: Stories by Korean Women Writers* (Seal Press, 1989) and *Wayfarer: New Writing by Korean Women* (Women in Translation, 1997), and with Marshall R. Pihl, *Land of Exile: Contemporary Korean Fiction*, rev. and exp. ed. (M.E. Sharpe, 2007). Their most recent translations are the 2009 Daesan Foundation Translation Award-winning *There a Petal Silently Falls: Three Stories by Ch'oe Yun* (Columbia University Press, 2008); *The Red Room: Stories of Trauma in Contemporary Korea* (University of Hawai'i Press, 2009), and *Lost Souls: Stories by Hwang Sunwŏn* (Columbia University Press, 2009). Bruce Fulton is co-translator (with Kim Chong-un) of *A Ready-Made Life: Early Masters of Modern Korean Fiction* (University of Hawai'i Press, 1998), co-editor (with Kwon Young-min) of *Modern Korean Fiction: An Anthology* (Columbia University Press, 2005), and editor of *Waxen Wings: The Acta Koreana Anthology of Short Fiction From Korea* (Koryo Press, 2011). The Fultons have received several awards and fellowships for their translations, including a National Endowment for the Arts Translation Fellowship, the first ever given for a translation from the Korean, and a residency at the Banff International Literary Translation Centre, the first ever awarded for translators from any Asian language. Bruce Fulton is the inaugural holder of the Young-Bin Min Chair in Korean Literature and Literary Translation, Department of Asian Studies, University of British Columbia. He is presently a Visiting Professor in the Department of Korean Language and Literature at the University of Seoul.

바이링궐 에디션 한국 대표 소설 014
인간에 대한 예의

2012년 7월 25일 초판 1쇄 발행
2017년 7월 17일 초판 3쇄 발행

지은이 공지영 | **옮긴이** 브루스 풀턴, 주찬 풀턴 | **펴낸이** 김재범
감수 브루스 풀턴 | **기획** 전성태, 정은경, 이경재
편집장 김형욱 | **편집** 신아름 | **관리** 강초민, 홍희표
펴낸곳 (주)아시아 | **출판등록** 2006년 1월 31일 제319-2006-4호
주소 경기도 파주시 회동길 445(서울 사무소: 서울특별시 동작구 서달로 161-1 3층)
전화 02.821.5055 | **팩스** 02.821.5057 | **홈페이지** www.bookasia.org
ISBN 978-89-94006-20-8 (set) | 978-89-94006-35-2 (04810)
값은 뒤표지에 있습니다.

Bi-lingual Edition Modern Korean Literature 014
Human Decency

Written by Gong Ji-young | **Translated by** Bruce and Ju-chan Fulton
Published by Asia Publishers | 445, Hoedong-gil, Paju-si, Gyeonggi-do, Korea
(Seoul Office: 161-1, Seodal-ro, Dongjak-gu, Seoul, Korea)
Homepage Address www.bookasia.org | **Tel**. (822).821.5055 | **Fax**. (822).821.5057
First published in Korea by Asia Publishers 2012
ISBN 978-89-94006-20-8 (set) | 978-89-94006-35-2 (04810)

바이링궐 에디션 한국 대표 소설

한국문학의 가장 중요하고 첨예한 문제의식을 가진 작가들의 대표작을 주제별로 선정!
하버드 한국학 연구원 및 세계 각국의 한국문학 전문 번역진이 참여한 번역 시리즈!
미국 하버드대학교와 컬럼비아대학교 동아시아학과, 캐나다 브리티시컬럼비아대학교 아시아학과 등 해외 대학에서 교재로 채택!

바이링궐 에디션 한국 대표 소설 set 1

분단 Division

01 병신과 머저리-**이청준** The Wounded-**Yi Cheong-jun**
02 어둠의 혼-**김원일** Soul of Darkness-**Kim Won-il**
03 순이삼촌-**현기영** Sun-i Samch'on-**Hyun Ki-young**
04 엄마의 말뚝 1-**박완서** Mother's Stake I-**Park Wan-suh**
05 유형의 땅-**조정래** The Land of the Banished-**Jo Jung-rae**

산업화 Industrialization

06 무진기행-**김승옥** Record of a Journey to Mujin-**Kim Seung-ok**
07 삼포 가는 길-**황석영** The Road to Sampo-**Hwang Sok-yong**
08 아홉 켤레의 구두로 남은 사내-**윤흥길** The Man Who Was Left as Nine Pairs of Shoes-**Yun Heung-gil**
09 돌아온 우리의 친구-**신상웅** Our Friend's Homecoming-**Shin Sang-ung**
10 원미동 시인-**양귀자** The Poet of Wŏnmi-dong-**Yang Kwi-ja**

여성 Women

11 중국인 거리-**오정희** Chinatown-**Oh Jung-hee**
12 풍금이 있던 자리-**신경숙** The Place Where the Harmonium Was-**Shin Kyung-sook**
13 하나코는 없다-**최윤** The Last of Hanak'o-**Ch'oe Yun**
14 인간에 대한 예의-**공지영** Human Decency-**Gong Ji-young**
15 빈처-**은희경** Poor Man's Wife-**Eun Hee-kyung**

바이링궐 에디션 한국 대표 소설 set 2

자유 Liberty

16 필론의 돼지-**이문열** Pilon's Pig-**Yi Mun-yol**
17 슬로우 불릿-**이대환** Slow Bullet-**Lee Dae-hwan**
18 직선과 독가스-**임철우** Straight Lines and Poison Gas-**Lim Chul-woo**
19 깃발-**홍희담** The Flag-**Hong Hee-dam**
20 새벽 출정-**방현석** Off to Battle at Dawn-**Bang Hyeon-seok**

사랑과 연애 Love and Love Affairs

21 별을 사랑하는 마음으로-**윤후명** With the Love for the Stars-**Yun Hu-myong**
22 목련공원-**이승우** Magnolia Park-**Lee Seung-u**
23 칼에 찔린 자국-**김인숙** Stab-**Kim In-suk**
24 회복하는 인간-**한강** Convalescence-**Han Kang**
25 트렁크-**정이현** In the Trunk-**Jeong Yi-hyun**

남과 북 South and North

26 판문점-**이호철** Panmunjom-**Yi Ho-chol**
27 수난 이대-**하근찬** The Suffering of Two Generations-**Ha Geun-chan**
28 분지-**남정현** Land of Excrement-**Nam Jung-hyun**
29 봄 실상사-**정도상** Spring at Silsangsa Temple-**Jeong Do-sang**
30 은행나무 사랑-**김하기** Gingko Love-**Kim Ha-kee**

바이링궐 에디션 한국 대표 소설 set 3

서울 Seoul

31 눈사람 속의 검은 항아리-**김소진** The Dark Jar within the Snowman-**Kim So-jin**
32 오후, 가로지르다-**하성란** Traversing Afternoon-**Ha Seong-nan**
33 나는 봉천동에 산다-**조경란** I Live in Bongcheon-dong-**Jo Kyung-ran**
34 그렇습니까? 기린입니다-**박민규** Is That So? I'm A Giraffe-**Park Min-gyu**
35 성탄특선-**김애란** Christmas Specials-**Kim Ae-ran**

전통 Tradition

36 무자년의 가을 사흘-**서정인** Three Days of Autumn, 1948-**Su Jung-in**
37 유자소전-**이문구** A Brief Biography of Yuja-**Yi Mun-gu**
38 향기로운 우물 이야기-**박범신** The Fragrant Well-**Park Bum-shin**
39 월행-**송기원** A Journey under the Moonlight-**Song Ki-won**
40 협죽도 그늘 아래-**성석제** In the Shade of the Oleander-**Song Sok-ze**

아방가르드 Avant-garde

41 아겔다마-**박상륭** Akeldama-**Park Sang-ryoong**
42 내 영혼의 우물-**최인석** A Well in My Soul-**Choi In-seok**
43 당신에 대해서-**이인성** On You-**Yi In-seong**
44 회색 時-**배수아** Time In Gray-**Bae Su-ah**
45 브라운 부인-**정영문** Mrs. Brown-**Jung Young-moon**